Nous remercions le ministère du Patrimoine canadien,
la SODEC et le Conseil des Arts du Canada
de l'aide accordée à notre programme de publication

Patrimoine canadien   Canadian Heritage

Conseil des Arts du Canada

Canada Council for the Arts

ainsi que le Gouvernement du Québec
– Programme de crédit d'impôt
pour l'édition de livres
– Gestion SODEC.

Nous reconnaissons l'aide financière
du Gouvernement du Canada
par l'entremise du Programme d'aide au développement
de l'industrie de l'édition (PADIÉ) pour ce projet.

Illustration de la couverture :
Jean-Pierre Normand

Maquette de la couverture :
Grafikar

Montage de la couverture :
Ariane Baril

Édition électronique :
Infographie DN

Membre de l'Association nationale des éditeurs de livres

ASSOCIATION NATIONALE DES ÉDITEURS DE LIVRES

Dépôt légal : 2e trimestre 2010
Bibliothèque nationale du Canada
Bibliothèque nationale du Québec

1234567890 IM 9876543210

ISBN 978-2-89633-153-6
11375

LE CRÂNE DE LA FACE CACHÉE

DU MÊME AUTEUR
AUX ÉDITIONS PIERRE TISSEYRE

Collection Chacal
La série Azura le Double Pays
L'Arbre-Roi, tome 1, 2000.
Baha-Mar et les miroirs magiques, tome 2, 2001.
Le temple de la nuit, tome 3, 2003.
La Tour sans Ombre, tome 4, 2005.

Le piège, 2007.

Données de catalogage avant publication (Canada)

Picard, Gaëtan

Le crâne de la face cachée

(Collection Chacal ; 55)
Pour les jeunes de 12 ans et plus.

ISBN 978-2-89633-153-6

1. Titre II. Collection : Collection Chacal ; 55.

PS8581.1234C72 2010 jC843'.54 C2010-940332-0
PS9581.1234C72 2010

LE CRÂNE DE LA FACE CACHÉE

Gaëtan Picard

roman

ÉDITIONS
PIERRE TISSEYRE

9300, boul. Henri-Bourassa Ouest, bureau 220
Saint-Laurent (Québec) H4S 1L5
Téléphone: 514-335-0777 – Télécopieur: 514-335-6723
Courriel: info@edtisseyre.ca

They're on the Moon watching us!

— Neil Armstrong

I

Prières à la Lune

Franck consultait son portable pour tuer le temps. Il lisait les pages à l'écran, espérant chasser la nervosité qui le gagnait chaque fois que la navette se plaçait sur son orbite lunaire. L'heure de prendre place dans le module d'alunissage allait bientôt sonner et, pour la première fois depuis qu'il était en service, Franck aurait bien passé son tour. Les procédures d'approche l'avaient toujours embêté, mais aujourd'hui, c'était encore pire. En effet, le message affiché sur la console de pilotage n'augurait rien de bon.

Rapport de quarantaine : plateforme de forage ouest.
Type de virus : garol.

Risque d'infection : élevé.
Statut : à confirmer.

Inquiet, Franck observait les mots défiler en silence. Ils laissaient derrière eux une traînée lumineuse semblable à la queue d'une comète dans le ciel. Ce simple artifice graphique donnait des allures de S.O.S. à n'importe quel message venu de l'espace. Le nom d'un chien, un numéro de téléphone, peu importe. Cela fonctionnait toujours. Sauf que, dans ce cas-ci, l'effet était on ne peut plus approprié.

— Capitaine Melville ! Qu'est que c'est que ça ? Vous me faites des cachotteries maintenant ?

Une jeune femme venait de pénétrer dans la cabine. Élancée et souple comme un chat, elle courba les épaules afin de ne pas se heurter la tête sur les moniteurs suspendus un peu partout. Ses yeux verts brillaient d'excitation et son sourire franc tranchait avec le sérieux de la situation. En la découvrant si radieuse, Franck se rappela que ce vol était le baptême de l'espace de sa compagne de voyage et il la laissa entrer sans protester.

— Vous êtes désormais une star, mon capitaine! s'exclama-t-elle, le plus récent numéro d'*Hebdo-Sciences* à la main.

La photo de son collègue occupait toute la couverture du prestigieux magazine. On le voyait, posant dans sa combinaison spatiale devant une large tapisserie médiévale. L'œuvre du XIIe siècle faisait contraste avec l'équipement moderne du jeune homme. Un groupe de moines étaient agenouillés près de lui, les mains jointes en signe de dévotion. Leurs pieux visages étaient tournés vers un vitrail qu'illuminait l'astre de la nuit. «Prières à la Lune», pouvait-on lire en surimpression au bas du cliché.

— Nahid, je vous en prie. Combien de fois devrai-je vous répéter que je suis commandant, pas capitaine.

— Désolée…

— Pour ce qui est de l'article, je risque de vous décevoir. Je l'ai lu au sol. C'est truffé d'erreurs.

— Ah? Vraiment? Moi, je trouve cela très bien. Écoutez ce passage: «Le plus réputé des astronautes de l'Alliance spatiale, Franck Melville, a été choisi pour mener une mission entourée du plus grand secret. Il sera assisté

dans sa tâche par Nahid Majumdar, sommité de la Société pakistanaise d'ethnomusicologie. » Je suis une sommité, vous vous rendez compte ? L'experte des tambourins et des clochettes, c'est moi !

— Voilà bien ce que je disais : c'est truffé d'erreurs, ne put s'empêcher de plaisanter Franck.

— Très spirituel, comme toujours, répliqua la jeune femme en lui assénant un coup de magazine sur la nuque.

— Hé ! Doucement ! Je vous signale qu'abîmer la propriété de l'Alliance est considéré comme un acte de sabotage.

— Vous avez raison, mon capitaine. Nous devons préserver ce précieux document pour les archives ! le taquina Nahid en faisant disparaître la revue dans ses affaires.

Franck retourna à son écran, agacé par l'importance qu'on accordait à cette feuille de chou. Le reportage qui lui était consacré prétendait lever le voile sur les enjeux de sa mission. En réalité, il n'en était rien. Soucieux de vendre son papier, le journaliste s'était plutôt attardé à la personnalité du commandant et à la silhouette agréable de sa

partenaire. Rien de nouveau sur l'étrange affaire qui avait précipité l'envoi de cet équipage inusité dans l'espace.

Au fond, c'est sans doute mieux ainsi, songea Franck avec sagesse.

II

Le dossier Jean le Rond

Le commandant jeta un œil aux instruments de vol. Il disposait encore de quelques minutes avant d'arriver à destination. Juste ce qu'il lui fallait pour revoir ses notes. Sur son portable, Franck pointa un dossier du doigt et une fenêtre s'ouvrit à l'écran. Il y inscrivit son matricule, suivi de son mot de passe, et accéda à une liste de fichiers sécurisés. Sitôt son choix validé, un ancien manuscrit apparut sous ses yeux. Tel qu'indiqué en hypertexte, le document numérisé datait du Moyen Âge. Il était signé par un moine de l'abbaye de Saint-Vincent-des-Bois, connu sous le nom de Jean le Rond. L'histoire disait que le pauvre homme devait ce surnom à un tour de taille légendaire. Dans sa lettre, il sollicitait la générosité d'un

baron pour la reconstruction d'une chapelle incendiée. Franck parcourut le texte rédigé des siècles auparavant. Le texte qui était à l'origine des bouleversements des dernières semaines.

Hui, vingt-six avril
de l'an treize cent treize[1]

Moi, Jean de Gaillon, dit Jean le Rond, petit-fils du chevalier Odet Havart, maître du hameau du Boisset Hennequin, par ce courlieu mande que l'on m'acordoit odis. L'affaire est urgente et exige curation.

Comme vos gents vous en ont fait oiance, la chapelle Saint-Vincent a esté arriflée le jour de la Feste-Dieu. Nul doute que ceste malaventure est la colpe de boulgres s'acti-vant en ce siècle à éclipser le royaume de nostre Seigneur. Seul le coq perché sur la pointe du clocher eschapa à la flambée. La fumée a noirci son plumage, mais sa silhouette tournaille encore où souffle le vent. Ce qui reste des murs sera destruit, sitôt que l'autorisation seignée de vostre main sera deslivrée. D'ici là, espoirons que

1. Ce texte est traduit à la page 131.

nostres prières soient odis et que les fredains cognoistrent leur grevance.

Franck déchiffrait tant bien que mal cette langue venue d'un autre âge. Pressé, il se rendit directement à l'extrait qui l'intéressait. Le moine y racontait comment les cloches de la chapelle, abandonnée depuis l'incendie, continuaient à carillonner la nuit venue. À ce passage, la plume du religieux se lançait dans un récit qui donnait froid dans le dos :

Après avoir fait repaissance, je pris mon bourdon et traversai le Boisset. Devers moi apparurent les ruines du clocher. À l'hores de minuit, je dus faire usance de grand coraige pour ne pas frapier jusqu'à l'abbaye. Encore une foiz, j'odis les cloches sonner. Il y a des choses dont les moines ont la devinance et, graces à Dieu, je crus pouvoir desnouer ceste cordelle. Je me dirigeai vers la chapelle pour issir le cagot qui s'y embrochiait. L'assent de poldre flottait dans l'air et je me signai pour chasser les desmons. Mais sous la lueur de la lune, un hardi spectacle destourba mon esprit. À l'ombre des murets, un meute de loups se dressoient pour piétoner comme des hommes. J'assistais

à une nigromance de l'enfer. Une sorcerie venue droit des ventrailles du monde. Les plus vilaines créatures portaient armures au corps et sur la teste des chapels de fer noir comme des casserons. Croché à leur cou, je reconnus le signe de la Beste. L'Estoile du Malin se balançant sur leur pis pareil à un pentacol à huit pointes. Triboulé, je guerpis comme si j'estois à la courre-chasse. Les gare-loups estoient sur mes talons. Une morsure me feroit pareilement à eus. Un fils du Diable, un crâne noir rongé par la garol. Persuadé que la carnade estoit à mes trousses, je m'ensauvai et ne me laissoit choir qu'à la pique du jour.

Puis, cette mise en garde énigmatique, écrite d'un seul jet au bas du parchemin :

Mécroyez la fablerie : le jour de la résurrection du fils de Dieu, les crânes noirs n'ont pas guerpi là où le ciel et la Terre se touchent. À la pleine lune, entour du Boisset, ils errent toujours.

Les notes inscrites en conclusion du document soulignaient que le baron avait acquiescé à la demande du moine, et que ses ouvriers avaient jeté les restes de l'édifice

au sol avant les premières gelées. Malgré cela, le religieux avait prétendu encore entendre la musique des cloches durant les nuits de pleine lune. Jusqu'au matin, disait-il, elles carillonnaient à ses chastes oreilles. Troublés par les propos incohérents du moine, ses pairs avaient fini par le déclarer fou et l'avaient condamné au bûcher comme un hérétique porteur de malédictions. Jean le Rond partagea ainsi le sort tragique de bien des déments, malades et autres marginaux que l'on croyait responsables de l'épidémie de peste noire qui sévissait à l'époque.

— Triste fin, s'indigna Franck, choqué par la cruauté du jugement. De toute évidence, la compassion n'était pas très en vogue dans l'abbaye de Jean le Rond.

Affligé par la bêtise humaine, le jeune homme sélectionna le fichier suivant du doigt. Le verso de la lettre lui apparut alors en gros plan. Une pâle esquisse y était tracée. Une étoile hérissée de huit pointes.

Le moine a tenté de reproduire le pendentif que portaient les étrangers, conclut Frank en examinant le dessin. *Le pentacol, comme le disaient les gens au* XIVe *siècle. Mais pour quelle raison les pointes du dessin*

ne sont-elles pas jointes comme elles le devraient ? On jurerait que l'étoile a explosé et que chacune de ses parties gravite autour d'un invisible noyau. Bizarre. J'aimerais bien comprendre le lien qui existe entre ce talisman sorti du Moyen Âge et notre mission.

Le commandant devait en convenir : cette histoire mettait sa raison à rude épreuve. Oublié pendant des siècles, le récit de Jean le Rond avait subitement refait surface et se trouvait maintenant au centre des préoccupations des membres de l'Alliance. En effet, à des milliers de kilomètres de la Terre, les ouvriers de la mine lunaire d'Alembert souffraient d'un mal d'origine inconnue. Un mal dont les symptômes correspondaient à ceux décrits dans le singulier manuscrit du moine. Là-bas, les colons se disaient victimes, eux aussi, d'hallucinations auditives. Un tintement, faible mais persistant, perturbait leur routine à la surface de la Lune.

Mais il y avait plus étrange encore. Il y avait cette découverte incroyable dont les premières images avaient mystifié le monde scientifique. Une découverte si improbable que tous crurent assister au premier canular de l'espace. Enseveli dans le sable lunaire, les

équipes de forage avaient mis au jour un crâne en parfait état lors de la construction du tunnel de prospection C26. Un crâne vraisemblablement très ancien. D'apparence humaine, il aurait pu être celui d'un de nos lointains ancêtres, sauf pour un détail : celui-ci était entièrement noir.

— Du nouveau ? demanda la jeune femme en voyant Franck plongé dans les archives du réseau.

— Non. Je m'efforce simplement de trouver un sens à tout ce charabia.

— Je vois, répondit Nahid. J'ai bien étudié le dossier lorsque nous étions sur Terre. J'en suis venue à la conclusion que ce monsieur Le Rond était légèrement timbré, si je peux me permettre.

— Peut-être bien, mais cela n'explique pas tout. Il y a trop de similitudes avec ce que vivent les ouvriers de la mine. Trop de…

— Trop de *cordelles* ? lança la jeune femme.

— Exactement. Trop de pistes qui s'entrecroisent. J'ai du mal à démêler tout ça.

— Pour dire la vérité, la seule piste qui me préoccupe pour l'instant est celle où nous nous poserons dans quelques minutes.

Je monte m'installer dans le module. Vous devriez en faire autant.

— Allez-y. Je ne serai pas long.

Franck détestait laisser un problème en suspens. Il trouva une image du crâne parmi ses fichiers et la fit pivoter à l'écran. C'était fascinant. L'objet n'était pas simplement terni ou noirci par le feu. Il semblait fait de ténèbres, constitué de cette encre opaque qui rappelle le vide de l'infini. Sa sombre mâchoire comptait encore plusieurs dents et chacune d'elles était aussi noire qu'un éclat de charbon. Captivé, l'astronaute avait du mal à détacher les yeux du curieux artéfact.

Cette tête est une véritable énigme, songea-t-il en frissonnant.

Pour ceux qui manquaient d'imagination, l'aspect étrange de ce fossile n'avait rien de bien horrible. Mais Franck devinait l'impact immense de cette découverte qui bafouait toute logique. Ce crâne noir portait en lui le chaos, il était un affront à la cosmogonie humaine. Sa seule existence était en soi quelque chose de terrifiant. Quelles pensées avaient autrefois fleuri derrière ce front ténébreux? Personne ne le saurait jamais.

III

Hélium-3

Franck éteignit son portable. Le module allait bientôt être largué vers la Lune et le commandant avait déjà trop tardé à se conformer aux consignes d'usage. S'il était pris en défaut, MOD, l'avatar de l'appareil, ne le lâcherait plus jusqu'à la fin du voyage. Muni de son casque, le cosmonaute rejoignit donc Nahid dans l'étroit habitacle du module et boucla sa ceinture. Le devoir appelait le jeune homme.

« Bienvenue à bord, commandant Melville », l'accueillit aussitôt la voix monocorde du module.

— Nous serons à Alembert dans trois minutes, précisa Nahid visiblement très excitée.

Franck consulta l'altimètre sans répondre. Il avait du mal à croire qu'ils y étaient enfin. Une foule de détails avaient retardé le début de la mission. Lorsque ce n'étaient pas les conditions météo, c'était la mise à niveau des ordinateurs qui avait posé des problèmes. Même la nomination de Franck à la tête de l'équipage ne s'était pas déroulée sans difficulté. Tout cela à cause d'une mauvaise chute durant le tournoi de foot de l'Alliance. Un bête accident qui lui avait causé bien des ennuis. En effet, plus d'un pilote s'entraînait dans l'espoir de partir un jour dans l'espace et la compétition entre eux était féroce. Dans ce contexte, le moindre faux pas pouvait mettre un terme à des mois d'efforts. Heureusement, grâce à sa formation de biochimiste et aux heures d'exploration lunaire qu'il avait cumulées dans sa carrière, Franck avait obtenu son billet pour la Lune malgré sa blessure. L'activité anormale qu'on y avait détectée nécessitait la présence d'un spécialiste sur le terrain et il était le plus qualifié dans ce domaine. Sa nomination l'avait réjoui, mais maintenant qu'il était sur le point d'arriver, le jeune homme se demandait ce qui l'avait poussé à accepter une telle responsabilité.

Un coin du cratère d'Alembert se profilait à travers le hublot. Sur le sol, on pouvait distinguer les équipements de la SpaceMill, premier consortium minier à exploiter les ressources lunaires. La principale activité du groupe était l'extraction de l'hélium-3, cet atome aussi prometteur que l'hydrogène. Les panneaux solaires qui alimentaient les installations étaient dispersés ici et là, telles des épaves échouées sur le sol. Ils étaient si nombreux que Franck renonça à les compter.

C'était la première visite du jeune astronaute sur la base d'Alembert. En découvrant l'ampleur du site, il se remémora son stage à la station orbitale de l'Alliance. Franck y avait suivi une formation accélérée sur les activités de la SpaceMill, que l'on disait promise à un brillant avenir. Ce séminaire avait été dirigé par un colosse de l'École des sciences de Moscou, le professeur Miroslav Mazarski, mieux connu à la station sous le nom de Miro. Physicien, ingénieur et maintenant astronaute, rien ne semblait

impossible à cet indomptable touche-à-tout. Féru de technologie, une panoplie de gadgets l'entourait en permanence et il avait lui-même conçu de nombreux prototypes de géorobots dont il comptait bien obtenir les brevets. Ce n'était, à l'entendre, qu'une question de temps. Bientôt, toutes les galeries de la SpaceMill seraient creusées par des modèles de son invention.

Tout au long de son exposé, le professeur avait passé en revue les propriétés exceptionnelles de l'hélium-3, cet isotope « qui sauvera la Terre », comme il aimait le répéter.

« Mes chers amis, je ne vous apprendrai rien en vous disant que les ressources de notre bonne vieille Terre sont limitées. Pour survivre, notre espèce n'aura bientôt qu'un seul choix : décrocher la Lune ! »

C'était avec cette formule que le coloré personnage avait accueilli ses étudiants. L'énoncé ayant capté l'attention de son auditoire, Miro avait continué sur sa lancée.

— Je sais ce que vous vous demandez : d'où vient cette particule qui nous intéresse aujourd'hui ? Et pourquoi n'en trouve-t-on

pas chez nous, sur la Terre ? La réponse est toute simple. Projeté par les vents solaires, l'hélium-3 est repoussé par le champ magnétique terrestre et n'atteint jamais notre planète. Il termine plutôt sa course sur la Lune où il se concentre facilement, celle-ci étant privée d'atmosphère. C'est donc là-haut qu'il nous faut creuser !

— Là-haut ? s'était étonné Franck.

— Sur la Lune, avait répondu le professeur.

— Mais qu'est-ce que cette particule a de si remarquable ?

— Ha ! Ha ! La question classique ! *Pourquoi faire ce grand et coûteux voyage pour un simple atome ?* J'avoue que cela peut sembler un peu dingue, comme ça, a priori. Eh bien, sachez que cet atome possède un très grand avantage. Un avantage unique !

— Ah oui ? Lequel ?

— Son noyau.

— Le noyau atomique ?

— Exactement !

— Et… alors ?

— Autour du noyau de l'hélium-3 ne tournent que deux protons, avait déclamé

Miro comme s'il s'agissait là d'une comptine universellement connue.

— C'est tout ?

— Tout à fait extraordinaire, oui !

— Je ne vous suis pas très bien, avait confessé Franck. Qu'est-ce que cela a de si merveilleux ?

— La réponse s'impose d'elle-même. Cet élément est d'une légèreté incomparable. Ce qui signifie qu'il est idéal pour la fusion nucléaire.

Franck ne souffla mot, mais sa mine en disait long sur l'état de ses connaissances en la matière. Il était biochimiste, pas physicien. Tout ce qu'il espérait, c'était que le prof poursuive son exposé sans poser trop de questions.

— La fusion est un processus où deux noyaux atomiques s'assemblent pour former un noyau plus lourd, reprit Miro. Combiner deux noyaux aussi légers que ceux de l'hélium-3 dégage d'énormes quantités d'énergie. La réaction produite est alors la même que celle qui anime le cœur des étoiles comme le Soleil, dont l'énergie est issue de la fusion de l'hydrogène en atomes d'hélium.

— Je vois. Cela représente une énergie colossale…

— Et virtuellement inépuisable ! Mieux encore : les réacteurs d'hélium-3 ne libèrent aucun neutron, donc pas de retombées radioactives néfastes pour l'environnement. Que de l'énergie à l'état pur ! Nous sommes à l'aube d'une véritable révolution. Bientôt, les installations comme celles de la SpaceMill vont pousser tels des champignons ! s'était exclamé l'illustre professeur.

— Fascinant ! s'était émerveillé Franck. Mais croyez-vous vraiment que d'autres groupes vont imiter la SpaceMill et se lancer dans cette aventure ?

— Cela ne fait aucun doute. L'hélium-3 est fort convoité depuis que son potentiel énergétique a été établi. De plus, sa rareté en fait une matière première stratégique. Sur le marché, sa valeur est deux cents fois supérieure à celle de l'or. Inexistante sur notre planète, la précieuse substance se trouve enfouie en grande quantité dans le régolite, cette couche de poussière produite par l'impact des météorites qui frappent la Lune.

— Vous voulez dire qu'il est possible de transformer ce sable grisâtre en une matière plus précieuse que l'or ?

— C'est exactement cela ! l'avait félicité Miro. Et le plus beau de l'histoire est que le régolite est répandu sur toute la surface lunaire. Par endroits, il peut atteindre jusqu'à vingt mètres de profondeur. C'est énorme ! Avec une telle quantité, on pourra alimenter la Terre pendant des millénaires.

C'est cette promesse d'une énergie propre et inépuisable qui avait incité l'Alliance spatiale à s'associer au projet. La base d'Alembert, visible du module, était la troisième à être entrée en service. C'était aussi la plus ambitieuse des entreprises de ce genre. La réserve d'hélium-3 y était plus importante que nulle part ailleurs sur la Lune et on y avait foré de nombreuses galeries afin d'évaluer l'importance des gisements que renfermait le sous-sol. Si l'heure n'avait pas été si sombre, Franck aurait été heureux de suivre un convoi robotisé jusqu'aux tréfonds des installations.

Ce chantier est l'aboutissement d'années d'efforts, pensa-t-il avec une pointe d'émo-

tion. *Une des plus grandes réalisations de l'humanité.*

Contrairement à Nahid qui s'extasiait naïvement devant le paysage, Franck était pleinement conscient des défis techniques que représentait encore et toujours la mise en fonction de la station minière. La production d'oxygène à l'intérieur des bâtiments, entre autres choses, avait posé toutes sortes de problèmes. Heureusement, comme le lui avait expliqué Miro, plus de la moitié du régolite lunaire était constituée d'air. Ainsi, une fois que l'hélium-3 en était extrait, on traitait les résidus et on récupérait l'oxygène qu'ils contenaient. Le *lunox*, comme on appelait ce gaz, était ensuite condensé sous forme liquide, puis utilisé comme combustible pour le retour sur Terre et pour soutenir la vie à l'intérieur de la colonie. Mais ce processus consommait beaucoup d'énergie et les réflecteurs solaires, soumis au bombardement quotidien des micrométéorites, connurent de nombreux ratés qui mirent en péril la survie même de la colonie.

Puis une nouvelle menace s'était mise à planer sur la base d'Alembert : la garol. Le nom à lui seul faisait frémir. C'est sans doute

pourquoi l'équipe médicale en place parlait plutôt de la *grippe lunaire*. La maladie paraissait ainsi beaucoup moins menaçante. Néanmoins, ce terrible virus s'était attaqué à plusieurs des colons de la station et tout le monde, sur la Terre comme ailleurs, redoutait l'éclosion d'une pandémie. Les premiers symptômes s'étaient manifestés peu après la découverte du crâne dans le tunnel C26. Les personnes infectées disaient percevoir une étrange musique, un air inconnu dont elles ne parvenaient pas à se débarrasser. Dans la majorité des cas, l'apparition de la mélopée marquait le début d'une lente et douloureuse mutation qui, faute d'antidote efficace, s'avérait mortelle. Impuissante face à ce fléau, l'Alliance s'était tournée vers Nahid en espérant que sa formation d'ethnomusicologue lui permettrait de percer le mystère de l'inquiétante maladie. Il en allait du futur de la colonie. Chacune des unités en service était composée d'hommes et de femmes de grande valeur. Des astronautes d'expérience entraînés pour affronter toutes les éventualités. Il avait fallu des années pour composer une équipe de ce calibre et tout devait être mis en œuvre pour la garder en poste.

Je me demande comment se porte ce cher Miro, pensa Franck en voyant le nom du prof sur la liste des responsables du projet.

Malgré le sérieux de la situation, le jeune homme ne perdait pas espoir d'entendre de nouveau le rire communicatif de son ami. Miro était beaucoup plus qu'un scientifique de grand renom. C'était un gagnant. Peu importe dans quel guêpier il se mettait les pieds, il s'en tirait toujours.

IV

Un accueil glacial

« Contact dans cinq secondes », annonça l'avatar du module dans les haut-parleurs. « Quatre, trois, deux, un... »

L'appareil se posa sans encombre au centre de la piste. Sur la Lune, les terrains plats étaient une rareté. Les météorites creusaient constamment le sol de larges cavités et faisaient surgir de nombreuses montagnes, si bien que le paysage était presque entièrement constitué de pentes. Seuls les mers et quelques cratères à grande surface étaient vraiment plats, bien qu'encombrés de rochers. Ce relief particulier avait obligé les ingénieurs à adapter les plans des bâtiments de la SpaceMill. Le résultat ne méritait pas le premier prix d'architecture, mais la

rigueur de sa conception ne pouvait être contestée. De toute façon, une fois l'assemblage terminé, on s'était empressé d'enfouir les installations sous trois mètres de régolite afin de les protéger contre les rayonnements cosmiques et les vents solaires. D'ailleurs, tout autour de la base se voyaient encore les tranchées où le sable nécessaire au recouvrement avait été prélevé. À la fin, tout ce qui différenciait la colonie minière d'une autre colline lunaire était la présence des sas à double accès qui sortaient du sol.

— Nous sommes prêts à descendre MOD, annonça le commandant.

« Bien reçu, confirma la voix dans son oreillette. Système maintenu en attente d'instructions. Mode d'économie d'énergie activé. »

Écrasée sous le poids de sa combinaison, Nahid tâchait de respirer le plus calmement possible. Elle avait si souvent visualisé cette scène qu'elle avait peine à se rendre compte que cette fois-ci était la bonne. Dans quelques secondes, elle allait poser le pied sur la Lune. Fébrile et émue à la fois, elle se sentait aussi vulnérable qu'une enfant faisant ses premiers pas. Elle fixait la sortie droit devant

elle en évitant le regard de Franck, par crainte qu'il ne devine l'angoisse qui lui nouait la gorge.

Une fois à l'extérieur, la nouvelle astronaute resta ébahie devant la beauté du panorama lunaire. Les dunes grises ressemblaient aux vagues tumultueuses d'un océan pétrifié. Le paysage était si épuré, si parfait dans sa nudité, que Nahid s'en trouva aussitôt apaisée. Jamais le silence ne lui avait paru si riche de sens.

— C'est encore plus fantastique que je ne l'imaginais. Et ce ciel! On dirait toutes les nuits du monde réunies en une seule.

— Oui, c'est impressionnant la première fois, approuva Franck en levant brièvement les yeux.

En vérité, ce n'étaient pas les étoiles qui le préoccupaient, mais plutôt les colons qui, eux, brillaient par leur absence. Le commandant aurait espéré que l'un des leurs soit présent pour les accueillir. Or, la base semblait déserte, et il y voyait la confirmation des pires hypothèses.

Soudain, Franck se redressa à l'intérieur de sa combinaison, croyant apercevoir un trait de lumière transpercer le noir du ciel.

Un minuscule objet au nez pointu, fuyant telle une étoile filante dans la nuit. Il avait juste eu le temps de le voir disparaître à l'abri des collines, sur sa gauche. En vérité, tout s'était déroulé si vite qu'il se demandait s'il n'avait pas rêvé.

— Vous avez vu quelque chose ? fit Nahid en le voyant fixer un point imaginaire à l'horizon.

— Un météore, répondit le commandant sans sourciller. Il en tombe un toutes les cinq minutes par ici. Allons. La base est plus loin de ce côté.

S'orientant grâce aux traces laissées par leurs prédécesseurs, les deux astronautes se dirigèrent vers une large dune située à l'extrémité de la piste.

— Ce sont les convoyeurs, n'est-ce pas ? s'enquit Nahid en désignant de lourds véhicules immobiles au milieu du cratère. On dirait d'affreuses chenilles auxquelles on aurait greffé des aspirateurs !

— Ces appareils sont la fierté de la SpaceMill. Chacun d'eux vaut une petite fortune. Sans leur présence, rien de ce que vous voyez ici n'aurait été possible. Alors,

un peu de respect s'il vous plaît, blagua Franck en essayant de se détendre.

Normalement, les énormes machines récoltaient des tonnes de régolite à l'heure. Leur passage laissait de profondes cicatrices dans le sable qui rappelaient les sillons des labours terrestres. Un robonaute de type « rover » les accompagnait dans leur routine, surveillant le déroulement des opérations tout en s'assurant de la bonne condition des mastodontes. Pour une raison obscure, ils avaient tous cessé de fonctionner.

— Comment se fait-il que rien ne bouge ici ? s'inquiéta Nahid.

— Une tempête magnétique, fort probablement, présuma Franck.

Il lui semblait encore entendre l'exposé du professeur sur le sujet : chaque mois, lors de la pleine lune, la queue du champ magnétique terrestre venait frapper la Lune. À ces moments-là, de véritables tempêtes de sable s'élevaient à sa surface. Formant une sorte de nuage électrostatique, les particules survoltées flottaient au-dessus du sol et y demeuraient en suspension pendant plusieurs jours. Cette poussière, particulièrement abrasive, pouvait causer de sérieux

dommages aux équipements et brouiller toute communication avec la base. Franck n'était pas fâché que ce soit terminé. Ces perturbations étaient très éprouvantes et il en gardait un mauvais souvenir. Combien de décharges avait-il reçues en prenant l'outil qu'un confrère lui tendait ? Combien de chocs sur le bout des doigts en manipulant des caissons de lunox recyclés ? Il préférait ne pas y penser.

Devant lui, Nahid ne pouvait s'empêcher d'explorer les alentours. Elle avançait à petits pas, comme un bébé qui va à la mer pour la première fois.

— Vous avez vu ? lança-t-elle en se penchant pour attraper un des cailloux qui roulaient à ses pieds. Celui-ci est rond comme une bille ! Il me fera un joli souvenir, gloussa-t-elle en le faisant disparaître dans son sac.

— Il y en a des milliers comme celui-là par ici. Ce sont les vents solaires qui leur donnent cette forme arrondie.

— Vraiment ? Eh bien, à mes yeux, ils sont tous différents, déclara la jeune recrue en examinant le sol à la recherche de nouveaux trésors.

— Bon, je veux bien, lui concéda Franck de bonne grâce. Mais je vous rappelle que nous ne sommes pas venus collecter des échantillons, mais des informations sur l'état de la colonie. Notre mission est classée code rouge. C'est-à-dire qu'elle est prioritaire. Nous ferons les touristes lorsque notre travail sera terminé.

— Message reçu, acquiesça Nahid en s'emparant d'un plus gros caillou.

Mission prioritaire ou pas, il était hors de question qu'elle revienne sur Terre les poches vides.

⮷

Dès qu'ils furent à l'intérieur du sas, les visiteurs s'installèrent sous les tubes à jets d'air pour débarrasser leur combinaison du sable lunaire. Tempête ou non, la poussière était l'ennemi numéro un de la colonie et on ne pouvait y entrer sans d'abord montrer patte blanche. Pour ce faire, on devait soumettre sa combinaison à un balayage d'électrons. Sous la pluie de particules, les grains de poussière acquéraient une charge négative et se repoussaient alors les uns les

autres, facilitant le travail de l'aspirateur. Malheureusement, le système était en panne et les astronautes durent se résoudre à astiquer eux-mêmes chaque pièce de leur équipement.

— Ces fichus souffleurs ne fonctionnent qu'une fois sur deux, grogna le commandant. Sitôt de retour à la navette, je dépose une plainte contre l'équipe du soutien technique.

— Dommage. On dirait de longs tubas. J'aurais bien aimé les entendre lorsqu'ils se mettent en marche.

— Toujours la musique ! C'est vraiment une obsession chez vous.

— C'est que la musique est partout ! répliqua la jeune femme, l'œil soudain plus pétillant. Il suffit de prêter attention pour s'en rendre compte. La pluie qui tombe, le souffle du vent ou les intonations de votre voix sont autant de mélodies différentes.

— Ma voix ? s'étonna Franck. On voit bien que vous ne m'avez jamais entendu chanter !

— Au fil de son évolution, le corps humain s'est développé pour devenir l'instrument de la *musica humana*. Pas besoin

d'appareils pour l'entendre. Elle est la vie qui bat en nous, expliqua Nahid en se frappant le thorax du poing, soulevant de son geste un nuage de poussière lunaire. Il y a aussi la *musica mundana,* comme disaient les Anciens. La musique du monde ou l'harmonie des sphères, continua-t-elle en toussotant.

— Ce que Platon appelait l'âme du monde, précisa Franck, fier de constater qu'il n'avait pas complètement oublié ses cours de philosophie.

— Exactement. Cette âme, comme vous dites, est la somme des intervalles qui définissent le temps et l'espace. Chaque planète y est un ton, chaque système solaire, une gamme jetée dans l'immensité céleste. De leurs mouvements, ils composent une suite cosmique qui traverse les âges. C'est formidable, vous ne trouvez pas ?

— Ma foi, je ne voudrais pas en être le chef d'orchestre, badina Franck qui, visiblement, ne partageait pas l'enthousiasme de sa compagne pour ces théories démodées.

— Et enfin : *musica in instrumentis,* poursuivit malgré tout Nahid en saisissant un des tuyaux comme s'il s'agissait d'un

véritable tuba. C'est-à-dire la musique instrumentale, au sens où nous l'entendons aujourd'hui. Celle d'un Mozart ou d'un Grappelli, par exemple.

— Eh bien moi, je peux vous assurer d'une chose : ces souffleurs n'interpréteront jamais une symphonie.

— Pas dans cet état, c'est certain, approuva Nahid en laissant retomber l'objet au sol.

Lorsqu'ils eurent terminé de se dépoussiérer, Franck et Nahid descendirent la rampe métallique conduisant au hall principal. Le vestibule, comme on l'appelait, était en réalité une structure préfabriquée semblable à toutes celles qui constituaient les différentes sections de la colonie, sauf que l'espace n'y était pas divisé par des locaux à cloisons.

Passé le seuil, les deux astronautes commencèrent à inspecter les lieux. Le complexe était vaste et ils allèrent chacun de leur côté, espérant ainsi gagner un temps précieux.

— Gardez votre radio bien ouverte, dit Franck. Nous ne devons jamais perdre contact.

— Entendu.

Nahid entreprit de visiter les labos, tandis que Franck amorça sa recherche du côté du centre de contrôle. Si un plan de la base existait, il s'y trouvait sûrement. C'est dans cette zone qu'il rencontra enfin un premier colon. Revêtu de sa combinaison spatiale, ce dernier était assis à l'entrée du Q.G., tel un gardien en surveillant l'accès.

S'approchant, Franck réalisa que quelque chose n'allait pas. L'homme qui se trouvait devant lui était couvert de régolite de la tête aux pieds. On aurait pu penser qu'il s'était traîné de l'extérieur jusqu'à son siège. À l'aide de son gant, Franck balaya la visière grise de poussière de l'inconnu. À l'intérieur de sa combinaison, ce dernier n'était plus en vie depuis longtemps. Une frayeur sans nom marquait son visage et un épais duvet couvrait chaque centimètre de sa peau.

— La garol, murmura le commandant avec un haut-le-cœur.

Le pire des scénarios s'était concrétisé. La catastrophe que redoutaient les experts reposait là, dans les bras de cette chaise empoussiérée. Franck n'avait jamais vu quelque chose de semblable. Le colon n'avait plus rien d'humain. Le virus semblait

déclencher une régression du métabolisme en s'attaquant directement à l'ADN. Comme si, par son action, il cherchait à transformer sa victime en une nouvelle entité biologique. Malheureusement, le malade n'y survivait pas.

Surmontant son dégoût, le jeune homme fouilla la combinaison du défunt. Enfoui dans une des poches, Franck trouva un journal. Chaque colon avait l'obligation d'en tenir un. Les informations qu'il contenait permettaient aux dirigeants de la SpaceMill d'évaluer les effets des séjours dans l'espace sur l'humeur et l'efficacité de ses ouvriers. Franck ouvrit le cahier en débutant par la fin. Il était à la recherche des derniers mots que le pauvre homme y avait notés.

Je peux encore l'entendre résonner dans ma tête. C'est insupportable. Si ça continue, je vais devenir cinglé… Les autres colons n'en peuvent plus. Ils ont décidé d'aller se réfugier dans l'ancien poste de forage sud. Sans oxygène en quantité suffisante, ils n'ont aucune chance d'y survivre. Mais depuis l'apparition de cette saloperie de virus et de cette musique qui n'arrête plus, ils sont

devenus comme fous. Impossible de les raisonner. En plus des mutations qu'elle provoque, la garol ronge l'esprit. Lorsque vous lirez ces lignes, ils seront probablement tous morts depuis longtemps. Désormais, il ne reste plus que le Russe et moi. Ce gros molosse s'est isolé à l'infirmerie. Il ignore mes messages. Je n'ai aucune idée de ce qu'il fabrique. Je crains qu'il soit infecté, lui aussi.

— Miro ! laissa tomber Franck, soudain très pâle.

Il ne pouvait s'agir que de lui. Le professeur n'avait pas abandonné Alembert. Il n'abdiquait jamais, Franck le savait. Aussi, le commandant remit le journal là où il l'avait trouvé et fonça vers une croix peinte en rouge qui indiquait l'emplacement de l'infirmerie, quelques portes plus loin.

Espérons qu'il y est toujours, et qu'il n'est pas dans le même état que ce pauvre type, songea Franck.

V

тишина

— Un, deux ! Un, deux ! Vous êtes là ? demanda la voix de Nahid dans l'oreillette du jeune homme.

— Affirmatif, répondit-il.

— J'ai commencé à inspecter les labos, annonça-t-elle. Le secteur est privé de courant comme tout le reste de la base. Cela ne me facilite pas la tâche, mais je me débrouille.

— Heureux de l'apprendre. Rien d'anormal à signaler ?

— Non… Ou plutôt, oui.

— Je vous écoute.

— Je n'ai pas croisé âme qui vive jusqu'à maintenant. Et vous ? Plus de chance de votre côté ?

— Non. Rien. Un vrai tombeau, confirma le commandant qui ne souhaitait pas élaborer davantage pour l'instant. Je me dirige vers l'infirmerie. Qui sait ? Peut-être des survivants s'y cachent-ils encore… On se retrouvera ensuite près des souffleurs. Gardez l'œil ouvert.

— Bien reçu. Je vous contacterai s'il y a du nouveau.

Quelques secondes plus tard, Franck constata que la serrure biométrique de la porte de l'infirmerie avait déjà subi plusieurs assauts. Tout autour, des égratignures étaient visibles et le jeune homme se demanda s'il parviendrait à la forcer. Saisissant la poignée avec fermeté, il y alla d'un premier coup d'épaule. Sous l'impact, la porte s'enfonça dans son cadre. Le quart arrière en ressentit un brin de fierté. Ses talents de footballeur lui étaient utiles. Après un second élan, il passa à l'intérieur.

Heureusement, il n'y a plus de courant, sinon l'alarme se serait déclenchée et nous aurions droit à un concerto infernal de musica in instrumentis, ironisa Franck pour lui-même.

L'ordinateur fut la première chose que le commandant remarqua en entrant. Toutes ses composantes paraissaient avoir été sabotées. L'écran et le clavier étaient recouverts d'une généreuse couche de crème médicamenteuse qui les rendaient inutilisables. Le coupable avait tracé du doigt un mot dans la mousse blanche qui collait à l'écran.

тишина, ce qui, en russe, signifie « silence ».

— Qu'est-ce qui a pu pousser Miro à faire une chose pareille ? s'interrogea Franck qui reconnaissait l'écriture de son ami.

Le pauvre ne doit pas être dans son état normal, c'est certain.

Au pied de l'écran, plusieurs livres étaient ouverts. Des traités de physique qui, de toute évidence, appartenaient au prof. Ici et là, des passages avaient été soulignés et des formules mathématiques longuement annotées. Miro était sur une piste. Mais laquelle ? Franck n'en avait pas la moindre idée. Parcourant les titres des ouvrages à la recherche d'un indice, l'un d'eux attira son attention. *L'envers de l'Univers, ou la secrète géométrie des dimensions.* Franck avait retenu les

propos du professeur sur le sujet. Il se rappelait entre autres que ce dernier détestait le mot *Univers*. À son avis, celui-ci portait à confusion.

« L'Univers est tout sauf uniforme, affirmait-il. Le tissu spatial est beaucoup plus poreux qu'il n'y paraît. Il est farci de trous et de trappes, s'étire et se tord comme s'il cherchait éternellement à se mordre la queue. En vérité, les auteurs de science-fiction ont vu juste : des dimensions insoupçonnées existent bel et bien. Elles sont là, tout près de nous. *Sous notre nez* », prévenait le physicien avec le plus grand sérieux. « Telles des voiles gonflées par le vent, elles peuvent parfois entrer en contact les unes avec les autres. Il serait alors possible de passer de ce monde au prochain, et ainsi de suite. »

À ce souvenir, Franck hocha la tête. Son mentor n'avait jamais eu peur du ridicule. Ses hypothèses, appuyées sur des faits scientifiques souvent connus de lui seul, semblaient parfois audacieuses et farfelues. D'ailleurs, malgré son amitié pour le prof, même Franck n'était pas prêt à admettre l'existence de dimensions cachées et à ima-

giner qu'un jour il serait normal d'y voyager. À ses yeux, cela ressemblait fort aux élucubrations d'un esprit surmené.

L'astronaute délaissa les livres et leurs théories. Bien que savantes, elles n'expliquaient en rien le sort des colons. Il devait retrouver Miro coûte que coûte. Soudain, alors qu'il arpentait la pièce, du verre brisé craqua sous sa semelle. Devant lui, des fragments de flacons pulvérisés jonchaient le sol. Ils menaient à la chambre froide. Cette sordide piste lui faisait craindre le pire. Pourtant, le commandant la suivit sans hésiter.

Sur la Lune, la chambre froide était essentielle. Les variations de température extrêmes la rendaient encore plus précieuse là-bas que sur la Terre. Elle était utilisée pour entreposer une grande variété de produits, médicaux ou autres. Mais son rôle ne se limitait pas à cela. Située à proximité de l'infirmerie, elle avait aussi été conçue pour être convertie en morgue, au besoin. Elle était donc de bonne dimension. Ni trop petite ni trop grande, pourrait-on dire.

Anxieux, Franck fit glisser la porte coulissante sur ses rails et jeta un coup d'œil à

l'intérieur. Parmi les rations d'eau potable et les réserves de pâtes surgelées très prisées des astronautes, six bouteilles de champagne trônaient sur la plus haute des tablettes. Six bouteilles intactes.

— Leur séjour débutait à peine. Ils n'ont pas eu l'occasion de célébrer un seul anniversaire.

Aux yeux du jeune homme, ce simple détail traduisait la gravité de la situation. La menace était bien réelle et il fallait demeurer vigilant. Un simple faux pas pouvait mettre la mission en péril. Franck ne devait pas perdre son objectif de vue : isoler le virus et en neutraliser les effets. L'apparition de la garol avait visiblement coûté la vie à plusieurs hommes et femmes tout en réduisant à néant leurs efforts. Ajoutée à cela, la découverte du crâne noir avait précipité la SpaceMill dans une crise aiguë et, depuis, son bilan financier était scruté à la loupe. De nouvelles pertes dans ses opérations ne pouvaient que provoquer d'importantes coupures budgétaires. Plus que la croissance de cette entreprise, c'était l'avenir même de l'exploitation lunaire qui était en jeu. Sans la SpaceMill, la Terre serait plongée dans une crise énergétique

sans précédent, d'où l'intervention de l'Alliance. Franck ne le savait que trop. Il était primordial que le virus soit éradiqué et que les activités de la colonie minière puissent reprendre dans les plus brefs délais.

Tournant la tête, le jeune homme aperçut un astronaute étendu sur le sol. Le corps était à deux pas de lui, caché derrière une réserve de lunox et de cruches d'eau recyclée. Le matricule aux couleurs de la fédération russe qui ornait le bras de la victime était inutile. Le commandant avait reconnu l'homme à sa taille.

— Le prof Miro !

Il paraissait s'être assoupi après avoir trop lu, comme cela lui était arrivé si souvent à la station orbitale. Mais le flacon de Stella-8 qu'il serrait entre ses doigts rigides ne laissait planer aucun doute sur ce qui s'était produit. Se sachant condamné, le célèbre professeur avait choisi d'en finir dès l'appa-rition des premiers symptômes. Une fois son funeste cocktail avalé, il s'était installé dans la pièce réfrigérée pour attendre la fin. Le rictus figé qui ornait son visage en disait long. Il était mort heureux de savoir que la garol n'aurait pas sa peau.

Franck regardait la scène sans vouloir y croire. Jamais il n'aurait imaginé l'extravagant géant capable d'un tel geste.

— Comment a-t-il pu en arriver là…

Le commandant contenait mal ses émotions. Comme tous les astronautes, il avait accepté les risques du métier bien avant d'avoir effectué son premier vol. C'était une condition essentielle pour se lancer dans le vide du cosmos. Mais la mort de Miro ébranlait ses convictions les plus profondes. Pour la première fois, il se rendit compte que les chances de succès de sa mission étaient bien minces. À moins d'un miracle, la reprise des opérations sur Alembert n'était pas pour demain.

Une sonnerie musicale l'arracha soudain à ses sombres pensées. Elle provenait d'une des poches de Miro. Reprenant un air de Stravinsky, les notes carillonnaient en boucle sans paraître devoir s'arrêter. Franck s'empara de l'appareil. Il constata aussitôt que l'alarme était celle du calendrier électronique du prof. Un événement y était affiché. Le message se lisait comme suit : *Activation du compte à rebours. 15 h.*

— Un compte à rebours ? Aujourd'hui ? Pour l'amour du ciel. Qu'est-ce que cela peut bien signifier ?

En parcourant les options du menu, Franck nota que le dossier *photos* contenait quatorze images. Curieux, il ne put résister à l'envie de les visionner. Peut-être en apprendrait-il ainsi un peu plus sur les dernières heures de son ami et de la colonie, par la même occasion.

Les fichiers laissés par Miro étaient tous d'une touchante vérité. Après quelques portraits de famille, plusieurs clichés pris le jour de son départ pour la Lune se succédaient. Le commandant y reconnaissait chaque membre de l'équipage. Des hommes et des femmes avec qui il avait partagé la même passion pour les étoiles. Miro lui-même y apparaissait, coiffé de son légendaire chapska de fourrure noire. Mais ce sont les dernières images en mémoire qui retinrent l'attention du jeune homme. Elles étaient différentes des précédentes, comme si le photographe n'avait pas eu l'occasion d'en régler le cadrage. On y voyait le chantier de la SpaceMill sous tous ses angles : une mer de sable gris creusée de tunnels et de

tranchées. Le compteur numérique indiquait que ces images avaient été saisies quelques jours seulement avant l'arrivée de Franck sur la base, et il les examina avec soin.

Sur l'une des photos, un lever de Terre illuminait l'horizon lunaire. Tous les astronautes avaient une prise de vue semblable dans leur album personnel. Et pour cause. C'était un spectacle inoubliable que peu de gens avaient eu la chance de contempler. Mais la photo de Miro avait une particularité qui la rendait unique entre toutes. Dans le ciel étoilé, quelque part entre la Terre et la Lune, un objet était visible. Un objet au nez pointu et brillant qui se distinguait des autres corps célestes. Impossible de le rater tant sa lumière était vive. Franck crut d'abord reconnaître l'éclat d'un des nombreux satellites placés en orbite autour de la Lune. Leurs ondes créaient un puissant réseau de communication que les colons utilisaient entre eux, et il était devenu fréquent de les voir sillonner la nuit lunaire. Mais le commandant se ravisa bien vite.

Au bas du cliché, il avait remarqué ce qui semblait être un tourbillon de poussière. Pareil à un léger nuage, il s'élevait à l'entrée

d'un tunnel. Sa position, perpendiculaire à celle de l'objet volant, ne pouvait signifier qu'une chose. Franck le voyait maintenant clairement : l'étrange engin était à l'origine de la perturbation. L'appareil ne se baladait pas dans le vide de l'espace comme le jeune homme l'avait imaginé. Il flottait plutôt à une centaine de mètres du sol.

On jurerait que cette chose s'est échappée du tunnel, constata l'astronaute.

— Capitaine ! Vous m'entendez ? l'interpella soudain la voix de Nahid.

— Je vous reçois, soupira Franck. Qu'y a-t-il ?

— Venez par ici. Vous n'en reviendrez pas !

— Où ça, ici ?

— Toujours au labo. Vous n'avez qu'à suivre le premier couloir à gauche de l'entrée.

— D'accord. Laissez-moi une minute et je vous rejoins.

Franck retourna auprès du premier colon. Il fit rouler la chaise sur laquelle reposait le mort jusqu'à la chambre froide et le cacha en compagnie de Miro. Il espérait ainsi épargner cette triste scène à Nahid,

tout en s'assurant que les deux corps soient conservés au frais sitôt le courant rétabli. C'était le genre de choses que Franck avait appris durant son entraînement : poursuivre la mission coûte que coûte, mais sans oublier ceux qui viendront après. En s'empoisonnant dans la chambre froide, Miro avait suivi cette consigne jusqu'au bout.

Avant de partir, Franck surmonta sa peine et fit un prélèvement sur chacune des dépouilles. L'analyse moléculaire d'un échantillon sanguin pourrait en révéler beaucoup sur les causes du mal inconnu. Quelques tests suffiraient pour déterminer comment, et à quelle fréquence, le virus se multipliait. Le jeune homme se mettrait au travail une fois de retour au module.

Si tout se déroule bien, dans quelques heures ce prédateur m'aura livré ses affreux secrets.

Puis, il se tourna une dernière fois vers Miro pour lui faire ses adieux.

— L'avenir sera bien sombre sans vos éclairs de génie, murmura-t-il la gorge nouée. Mais je vous en fais la promesse, professeur : vous ne serez pas mort en vain.

Je trouverai la façon de contrer les effets de cette terrible maladie.

Doucement, Franck prit le flacon que le colosse serrait toujours dans sa main. La petite bouteille contenait encore quelques comprimés de Stella-8 et il la glissa dans sa poche. Avec son contenu, le jeune homme pourrait abréger ses souffrances ou celles de sa compagne, s'il le fallait. En tant que commandant, il devait se préparer à toutes les éventualités. Le moment venu, il ne reculerait pas.

VI

Artéfacts lunaires

Franck retrouva Nahid au laboratoire. La jeune femme avait pris place à l'un des postes de travail aménagés sous le dôme d'observation. Exigus, les locaux étaient la proie de bien des critiques de la part des colons. Néanmoins, ils étaient très appréciés par les chercheurs de passage à la station lunaire. Ces microlabos, construits en milieu hostile, avaient été conçus méticuleusement afin de faciliter le travail des scientifiques. Même leurs détracteurs ne contestaient pas ce point. Tout le matériel nécessaire à des expérimentations rigoureuses s'y trouvait habilement rassemblé. À des millions de kilomètres de la maison, le moindre oubli pouvait compromettre le succès d'une mission, aussi rien n'avait été laissé au

hasard. Si seulement un peu plus d'espace pour les jambes avait été prévu, tout aurait été parfait.

Perdue au milieu des appareils et des multiples écrans, Nahid paraissait absorbée par l'étude d'une étrange collection. En effet, bien en vue sur la table centrale reposaient de nombreux artéfacts. Préservés dans des sachets hermétiques tels des objets de grande valeur, des sections de mâchoires, des dents et des os réduits en morceaux avaient été patiemment classés et numérotés. C'était la façon de faire des archéologues, sur Terre, lorsqu'ils fouillaient un site digne d'intérêt. Le moindre fragment devait être nettoyé, identifié et catalogué. Mais Franck et Nahid n'étaient pas sur la Terre. Ils se baladaient sur la Lune. Un endroit où, aux dernières nouvelles, aucun archéologue n'avait encore mis les pieds. Troublés par leur découverte, les deux astronautes étaient sans voix. Les éclats d'os qui se trouvaient devant eux étaient tous, du premier au dernier, noirs comme la nuit.

— Qu'est-ce que cela signifie ? demanda enfin Franck. D'où proviennent ces... fossiles ?

— Encore du tunnel de prospection C26, répondit Nahid en montrant le plan de fouilles épinglé sur la cloison devant eux. On dirait bien que les mineurs y ont trouvé plus qu'un simple crâne. À voir le nombre d'échantillons réunis ici, c'est un véritable cimetière qui a été mis au jour.

— Un cimetière ? C'est insensé. Oubliez-vous où nous sommes ?

Le commandant était déconcerté. Aucun volet de son entraînement ne l'avait préparé à résoudre une énigme de cette ampleur.

— Je sais que cela semble idiot, admit Nahid. Une fosse commune, ici, sur la Lune ! Vous imaginez ce que cela représente ?

— Oui... On nous déclarera fous et notre sort ne vaudra guère mieux que celui de ce pauvre moine qui entendait sonner les cloches de sa chapelle incendiée. Nous finirons tous deux nos jours dans un asile psychiatrique. Cela ne peut pas être vrai. Il doit y avoir une explication. Un détail qui nous a échappé.

— Il n'y a qu'une seule façon de tirer cela au clair : nous devons examiner le site d'où proviennent ces ossements.

— Le site ? Vous voulez dire...

— Le C26. Nous devons y descendre.

— C'est de la folie! Nous ne pouvons courir un tel risque...

Dans ses pensées, Franck revoyait les deux corps inertes qu'il venait de laisser dans la chambre froide. Il revoyait Miro, silencieux pour l'éternité. La garol n'était-elle pas sortie de ce fichu tunnel à la suite de la découverte du crâne noir? En s'y engageant, ils s'exposaient au pire.

Mais Nahid avait déjà bouclé son casque et ajusté la pression de sa combinaison. Sans écouter les avertissements de son commandant, elle prenait le chemin de la sortie. Qu'elle fût sur une base lunaire, ou ailleurs, ne changeait rien à sa détermination: elle devait percer le mystère de ce tunnel. C'était pour cela que l'ethnomusicologue avait fait le voyage jusqu'ici. Pour cela qu'elle avait été formée. Si une musique d'origine inconnue était venue de l'espace pour tourmenter les colons, elle devait en trouver la source et l'entendre, quitte à en perdre la raison.

— Ne soyez pas si pressée, lança le commandant. Je serais navré de noter dans mon rapport de mission que vous n'en faites qu'à votre tête en contrevenant aux ordres.

— Notre mission ? C'est au bout de ce tunnel qu'elle nous attend, trancha Nahid sans se retourner. Que vous le vouliez ou non, on ne pourra y échapper !

VII

Le clocher de régolite

L'entrée du tunnel était située à l'ombre d'un pic rocheux. Un pic dont la hauteur contrastait avec la surface vallonnée de la Lune. Nahid s'arrêta pour admirer la pointe tendue vers la nuit étoilée. On aurait dit une antenne conçue pour capter les secrets du ciel. Un clocher érigé à la gloire de l'immensité du vide.

— C'est étrange..., murmura la jeune femme.

— Quoi donc ?

— Ce pic, ici, dressé au milieu de nulle part.

— Il n'est pas rare d'en voir sur le contour des cratères, répondit Franck. Mais j'avoue que celui-ci est plutôt impressionnant. Sûrement le plus élevé que j'aie pu observer.

— Chez nous, dans la province d'où je viens, les villageois vénèrent des sites d'une grande force spirituelle qu'ils appellent *mazars*. Ces lieux sont reconnaissables à des phénomènes naturels particuliers : une source, une grotte, une formation géologique exceptionnelle, ou encore une curiosité botanique, comme un bosquet d'acacias au milieu de steppes désertiques.

— Où voulez-vous en venir ?

— Ces sites correspondent souvent à un lieu de sépulture. Si vous voulez mon avis, nous nous trouvons actuellement devant un endroit du même type.

Franck dévisagea Nahid comme si elle n'avait plus toute sa raison. Sûrement une première manifestation du mal de l'espace. C'était fréquent chez les recrues. Lorsque les sorties se prolongeaient, elles perdaient vite le sens des réalités. La jeune femme devrait se soumettre à un test de dépistage sitôt de retour à bord de la navette.

Pendant que Nahid était occupée à immortaliser l'étrange clocher sous tous ses angles, un détail attira l'attention de Franck. À l'ombre du pic lunaire, une trousse de survie gisait sur le sable. Elle était posée là, tel un sac oublié sur une plage déserte. En l'ouvrant, le commandant découvrit deux caissons de lunox fixés l'un à l'autre par une large bande de ruban adhésif. Un réseau de fils multicolores y était noué et conduisait à une minuterie unique en son genre. L'étrange mécanisme, greffé au dos d'un iPod de première génération, était surmonté par l'écran d'une montre bon marché. Une seule personne pouvait avoir bricolé un dispositif semblable : Miro. Il n'était pas difficile de comprendre ce qu'il avait eu en tête. La réponse s'imposait d'elle-même : le professeur avait envisagé de raser l'énorme pic de la face de la Lune. À 15 h, plus précisément. Une fois celui-ci tombé, l'entrée du tunnel aurait été définitivement condamnée. De cette façon, il y aurait eu une chance de freiner l'épidémie.

Mais quelque chose était survenu et avait empêché Miro de mettre son plan à exécution. Pour une raison inconnue, le professeur n'avait pu activer le compte à rebours et la garol s'était propagée dans la colonie.

Quelle tragédie ! s'attrista Franck en remettant le curieux engin à sa place. *Le pauvre était à deux doigts de réussir.*

Si le professeur avait pu aller jusqu'au bout, les choses se seraient sans doute déroulées fort différemment. Pour Miro et les colons, bien sûr. Mais aussi pour lui-même, pensait Franck de façon égoïste. À cet instant, il ne serait pas sur la Lune, mais en route pour Mars avec son unité d'exploration. Plutôt que d'être grises de poussière, ses bottes auraient le rouge martien imprimé sous les semelles. Le rêve de tout astronaute qui se respecte.

— Vous entendez ? fit soudain Nahid sans se préoccuper de la découverte de son camarade.

— Non. Qu'y a-t-il ?

— On croirait entendre l'écho de cloches qui sonnent.

— Des cloches ? Ne rigolez pas avec ça, vous savez bien que c'est un des premiers signes de la conta... Attendez. Je... J'arrive à les entendre aussi. C'est très, très faible. Comme une vibration.

— Oui, mais c'est bien là. À l'intérieur, précisa Nahid en pointant son casque.

— Je n'ai jamais entendu un air semblable. C'est envoûtant, presque hypnotique.

— Certaines musiques sont conçues comme des pièges, le prévint son amie. Même lorsque la mélodie s'arrête, l'esprit la répète malgré lui.

— Un piège ? Qu'essayez-vous de me dire ? demanda Franck à présent sur ses gardes.

Nahid ferma les yeux pour mieux se concentrer. La musique était pour elle un sujet d'étude : la jeune femme l'abordait avec autant de sérieux que s'il s'agissait d'une équation mathématique non résolue. Passionnée par son métier, elle pouvait battre la mesure pendant des heures sans jamais se laisser distraire de ses travaux. Mais cette fois, la situation était exceptionnelle et l'ethnomusicologue était en alerte.

— Curieux. Vraiment très curieux…

— Que voulez-vous dire ?

— Ce rythme… Il est si léger. Cela me rappelle un dayra.

— Un da-y-quoi ?

— Dayra. Un petit tambour à clochettes. C'est un instrument très populaire chez les prêtres de mon pays. On dit que sa musique est capable de pénétrer les pensées d'autrui.

— Vous cherchez à me convaincre que la musique que nous entendons fouille notre esprit ?

— Je ne sais pas. Peut-être.

— Tout cela est ridicule !

— Ridicule ou non, nous devons savoir ce qui se cache au fond de cette mine et, à moins d'un miracle, aucun témoin ne viendra éclairer notre lanterne.

— Le risque d'infection est trop élevé, insista Franck. Et puis, cette musique que nous entendons ne me dit rien qui vaille. Si vous voulez mon avis, nous nous sommes déjà aventurés trop près du tunnel.

Comme seule réponse, Nahid alluma la lampe fixée à son casque. Sur le visage de la jeune femme, la peur était absente.

— L'Alliance m'avait prévenu, remarqua Franck en l'observant. Douée, mais entêtée.

— Pour dire vrai, mon capitaine, je n'ai pas vraiment envie de descendre dans ce trou. Mais c'est plus fort que moi, je dois voir de mes yeux et entendre de mes oreilles pour comprendre. J'ai toujours été comme ça. Déjà, à l'école…

— D'accord, d'accord. Allons-y. Mais je vous préviens : ne touchez à rien. Nous

ignorons comment le virus se transmet. Alors, par pitié, ne faites pas de bêtises.

— Entendu…

— Et pour la dernière fois, cessez de m'appeler *mon capitaine*.

VIII

Le bout du tunnel

Pareils à des mineurs qui commencent leur quart de travail, Nahid et Franck s'enfoncèrent dans l'obscurité sans se retourner. Sur leur passage, tout était immobile. La panne généralisée avait interrompu le va-et-vient des géorobots. N'ayant pu compléter leur routine, ils encombraient chacune des galeries. Les petits appareils semblaient bien fragiles selon les standards terrestres. Leur conception était primaire et ils tenaient debout grâce à la faible gravité lunaire. Leurs bras mécaniques, paralysés en pleine action, étaient tendus dans toutes les directions comme s'ils sollicitaient une aide qui n'était jamais venue. Le commandant et son assistante les contournèrent avec prudence. Tous

deux redoutaient que la pointe d'un outil ne mette soudainement à l'épreuve l'étanchéité de leur combinaison. Le moindre accident, ils le savaient, pouvait leur être fatal.

Plus les astronautes s'éloignaient de la surface, plus les cloches sonnaient avec force à leurs oreilles. Franck ressentait un curieux malaise. Quelque chose qui s'apparentait à une vilaine migraine. Arrivé au bout du tunnel, il ralentit le pas et fit signe à Nahid de passer devant. La jeune femme obéit sans discuter. Les géorobots avaient fait de vastes travaux d'excavation dans les profondeurs du sous-sol lunaire et elle entra dans l'une des chambres ainsi creusées. Franck l'y rejoignit, anxieux de savoir ce qu'ils allaient trouver.

La lampe de Nahid n'illuminait qu'une partie de la cavité devant eux et son faisceau se perdait entre les poutres métalliques qui supportaient le poids des parois. Après en avoir dépassé une douzaine, le tunnel bifurquait sur la droite. Examinant avec soin où elle posait les pieds, Nahid fit alors une découverte digne d'intérêt.

— C'est ici que les fragments d'os noirs ont été prélevés, affirma-t-elle en faisant

glisser la lumière sur les rubans qui délimitaient la zone de fouilles. Plusieurs crânes ne sont toujours pas dégagés.

— Un véritable site archéologique dans le ventre de la Lune, s'étonna Franck en s'approchant. Jamais je n'aurais cru cela possible.

— Dieu seul sait depuis quand ils sont ensevelis ici, répondit Nahid en descendant au fond d'une tranchée.

De l'autre côté, emprisonnée dans la paroi, une étrange structure se profilait hors des sédiments. Le flanc d'un véhicule aux lignes aérodynamiques avait été exhumé du sable et de la pierre. D'une matière froide et sombre, le revêtement de l'engin était étonnant, mais révélait peu de choses sur son origine. Intriguée, la jeune femme l'étudia du bout des doigts.

— Qu'est-ce que c'est ? demanda Franck.

— L'épave d'un vaisseau, conclut Nahid. Cette forme allongée rappelle vaguement la pointe d'un aileron.

— Un vaisseau ? Non, je ne crois pas, fit le commandant en examinant l'engin à son tour.

— Comment pouvez-vous en être si sûr ?

— L'alliage est absolument sans défaut. Il ne présente aucune trace d'impact ou de freinage. Et voyez dessous, toutes ces alvéoles alignés les uns contre les autres. On dirait plutôt…

— … la brosse d'un balai mécanique géant, lança la jeune femme spontanément.

Franck resta interdit. Sur le coup, il crut être confronté à une autre idée fantaisiste de sa compagne. Depuis le début de la mission, elle en faisait une spécialité. Mais aussi incroyable que cela puisse paraître, Nahid avait vu juste. Ce que les géorobots avaient dégagé n'était qu'une partie d'un ensemble beaucoup plus complexe. Là, devant leurs yeux, recouvert de tonnes de régolite, gisait un convoyeur d'un modèle inédit. À en juger par cette brosse démesurée, la taille de l'appareil devait être colossale. En comparaison, les machines de la SpaceMill ressemblaient à de vulgaires jouets.

— Les astres nous ont trahis, déplora le commandant.

— Pardon ?

— Nous n'étions pas les premiers. D'autres sont venus avant nous avec l'in-

tention de tout emporter. Voyez : le nombre de strates de sédiments recouvrant ce véhicule est incalculable. Il est ici depuis des siècles, voire des millénaires…

Pour le jeune homme, il devenait évident que les richesses découvertes par l'Homme sur la Lune y étaient depuis toujours et que d'autres formes d'intelligence en avaient déjà tiré profit. Selon toute vraisemblance, les deux astronautes se trouvaient en présence d'une antique exploitation minière dont les activités avaient mal tourné. Une exploitation qui n'avait rien d'humain. Apparemment, un glissement de terrain avait mis un terme aux opérations. En se renversant, le convoyeur avait écrasé les ouvriers autour de lui. Les cloches que Nahid et Franck entendaient semblaient toutefois provenir du véhicule accidenté.

— Je comprends, murmura Nahid. Des ondes radiobiologiques. Ingénieux !

— Qu'est-ce que vous marmonnez ?

— Cette machine est télépathe. Elle cherche à entrer en contact avec nous. Dès qu'elle sent une présence ou un mouvement, elle tente de communiquer. Elle attend inlassablement que son maître lui réponde.

— Télépathe ? Vous plaisantez ? Jamais vous ne me ferez avaler un truc pareil. Ce ne sont que des ondes électriques. L'intensité des oscillations doit provoquer cette résonance que nous entendons, expliqua Franck.

Mais Nahid, fascinée par sa propre théorie, ne l'écoutait plus.

— Un éminent physicien, dont j'oublie le nom, a établi que l'être humain émet des ondes comme celles des radios. Des ondes courtes pouvant être propulsées au-delà des distances. Je crois que nous sommes actuellement en présence d'une fréquence de ce type.

Le jeune homme cherchait en vain le contre-argument qui réduirait à néant la théorie de son amie. Mais le pauvre ne se sentait pas très bien. Les vibrations à l'intérieur de son crâne le rendaient nerveux et il avait de plus en plus de difficulté à réfléchir.

— Un détail me tracasse, reprit Nahid qui supportait mieux la lancinante musique que son compagnon. Pourquoi aucun des leurs n'a répondu aux signaux de détresse de cette machine ? Pourquoi ne pas avoir secouru les victimes ?

Franck regarda la jeune femme sans comprendre. Où voulait-elle en venir ?

— La réponse est simple, conclut-elle. L'engin a dû s'égarer dans une zone trop éloignée pour que soit lancée une opération de sauvetage. Les étrangers y ont renoncé par crainte d'y laisser leur peau. En déterrant l'appareil, nos ouvriers ont libéré le virus qui était enfoui dans le sol lunaire depuis tout ce temps.

Le commandant demeura silencieux. Il était accablé par la rengaine qui tournait dans sa tête, mais pas au point de ne pouvoir constater les faits. Cette épidémie qui avait décimé les colons d'Alembert n'était pas une banale contagion. C'était le retour en force d'un ancien virus transporté sur la Lune par des colons étrangers. Un micro-organisme de nature inconnue face auquel notre système immunitaire était sans défense.

— De toute évidence, vous avez raison, laissa-t-il tomber après un moment. Nous avons trouvé le foyer d'infection. C'est bien ici que tout a débuté.

— Quelle malchance, murmura la jeune femme. Dans tout l'Univers, il a fallu qu'il trouve refuge ici.

— Qu'est-ce qui vous chiffonne ?

— Ce virus mortel, si près de la Terre… Imaginez un moment qu'il atteigne notre planète. Il pourrait rayer l'humanité de la carte en seulement quelques jours. Ce serait un fléau aussi meurtrier que la peste noire de jadis. Un fléau d'une ampleur effroyable !

— Qu'avez-vous dit ? demanda Franck qui devait faire un effort pour demeurer attentif.

— La peste noire… Cette infection qui a fauché le tiers de la population européenne au Moyen Âge. Ne me dites pas que vous n'en avez jamais entendu parler ? s'étonna la jeune femme.

— Bien sûr que si, se défendit le biochimiste. Là n'est pas la question. Je m'interroge seulement…

— À quel propos ?

— Jean le Rond…

— Ce pauvre hère ?

— Rappelez-vous : selon ses dires, il aurait été en contact avec des crânes noirs. Dans son délire, il prétendait qu'une simple morsure de ces êtres diaboliques ferait de lui un des leurs. C'est pour cette raison qu'il fut brûlé comme un hérétique. À mon avis, le malheureux n'était pas loin de la vérité. Comme des millions de ses contemporains, il redoutait une infection foudroyante venue d'ailleurs.

— Vous croyez que la peste noire était une manifestation de la garol, conclut Nahid. Une souche du virus qui aurait pu provoquer l'extinction de la race humaine. Une sorte de première vague due à la présence d'étrangers sur Terre ?

— C'est une possibilité. Les virus évoluent constamment. Ils s'adaptent à leur époque, en quelque sorte. Il n'est pas rare de les voir ressurgir sous une nouvelle forme alors qu'on les croyait disparus pour de bon.

— Les pauvres. Ils n'ont eu aucune chance.

— Allez ! trancha Franck, épuisé. Nous en savons assez maintenant. Retournons à la surface.

— Mais, mon capi… euh, je veux dire, mon commandant. Nous ne pouvons pas partir ainsi ! Nous devons d'abord trouver le moyen d'examiner ce que contient cet engin, suggéra Nahid en posant une main sur la structure encastrée dans la paroi.

— Je regrette, mais cela n'est pas une des priorités de notre mission.

— Avez-vous idée des découvertes incroyables que l'on pourrait y faire ? Des générations de scientifiques ont rêvé de ce moment. Ce serait trop bête de laisser filer une occasion pareille.

— Nous ne sommes pas ici pour étudier les étrangers, mais pour isoler le virus, analyser sa structure et le neutraliser. J'ai déjà collecté des échantillons. Il faut donc condamner le foyer de l'infection et contacter l'Alliance pour lui faire part de ce que nous avons appris.

— Vous plaisantez ! Partez si vous le voulez. Cela m'est égal. Je serai la seule à savoir ce que cachent les entrailles de ce monstre. La seule à avoir vu de ses yeux !

Franck considéra sa compagne en silence. Nahid, il le savait, ne changerait pas d'idée. C'était peine perdue d'essayer de la convaincre de remonter avec lui. Sans compter que, même s'il refusait de l'admettre tout haut, le jeune homme était trop étourdi pour discuter plus longtemps. Il avait besoin de reprendre son souffle et l'escapade de

Nahid, si insensée fût-elle, lui en donnerait l'occasion.

— Je vous accorde dix minutes. Pas une de plus, insista le commandant.

La jeune femme leva le pouce en signe d'approbation. C'était plus qu'elle ne l'avait espéré.

IX

Le tombeau d'Alembert

Nahid longea le flanc de l'appareil. Sur le métal, une inscription à moitié recouverte par des sédiments avait attiré son regard. Une série de symboles gravés avec finesse sur la surface argentée. Formant un cercle, ils rappelaient un sceau des temps anciens. Elle prit quelques secondes pour les étudier, mais en vain : les traits longilignes, semblables à des pattes de mouche cosmique, étaient impossibles à déchiffrer.

Déçue, Nahid effleura l'inscription du doigt dans l'espoir d'en mémoriser le mystérieux tracé. Un jour, qui sait, elle en trouverait peut-être la clé. Comme elle détaillait le dernier trait, un déclic se fit entendre. Mue par un secret mécanisme,

une trappe s'ouvrait à la base du fuselage et s'abaissait pour former une courte passerelle conduisant à l'intérieur du véhicule.

— Vous voyez quelque chose ? demanda Franck qui tentait sans succès de joindre l'Alliance en passant par MOD.

— Non. C'est trop sombre, répondit Nahid. Je vais entrer.

La jeune femme baissa la tête et passa la porte. Elle avait l'impression étouffante de pénétrer dans un tombeau. De profaner une crypte fermée depuis des siècles. Une chose était certaine : elle avait quitté le monde connu.

La cabine était sens dessus dessous. Pour avancer, Nahid dut se frayer un chemin parmi les débris qui jonchaient le sol. Sous un panneau fracassé, elle trouva le siège du conducteur. Projeté au sol lors de l'accident, le fauteuil gisait renversé parmi les éclats de verre et de pierre. Un corps y était toujours attaché. En s'approchant, Nahid vit qu'il était revêtu d'une lourde combinaison métallique qui rappelait l'armure d'un chevalier. Son visage était recouvert d'une sombre visière, semblable à celles que portent les soudeurs pour se protéger du feu. Nahid

retint son souffle et la souleva avec précaution. Lentement, elle découvrit les traits momifiés du pilote.

Le cadavre de la créature qui se trouvait devant elle était d'apparence humanoïde, sauf pour un détail : ouvertes au milieu d'un menton anguleux, de doubles lèvres que l'on devinait autrefois humides étaient désormais grises et sèches. Elles pendaient inertes autour d'une bouche ténébreuse, comme d'affreux papillons aux ailes déployées.

Au cou du défunt était attaché un sombre cadran incrusté dans une sorte de pendentif étoilé. Fascinée, Nahid le saisit pour l'examiner plus à son aise. C'était comme tenir un morceau d'un autre univers. Rien ne pouvait s'y comparer. Nahid comprit bien vite qu'il ne s'agissait pas d'un simple bijou. L'objet obéissait aux lois d'une technologie inconnue. La position de ses pointes, sensibles au toucher, pouvait être modifiée à l'infini. Elles s'articulaient le long d'axes invisibles, pivotant les unes autour des autres avec la précision d'une boussole céleste. Une boussole où venaient se croiser les trajectoires de tous les possibles.

Cette chose étrange devait servir à piloter l'engin, songea Nahid en faisant tourner la petite étoile entre ses doigts.

Curieuse, elle manipulait l'objet sans parvenir à trouver de quel côté le prendre. Quoi qu'elle fît, le cadran en son centre restait terne et sans vie. Seule une minuscule spirale se profilait à l'intérieur du verre, telle une lointaine galaxie fossilisée au carrefour de secrètes dimensions. Mais ce détail, tout intrigant fut-il, n'avançait guère Nahid. Le fonctionnement de l'objet demeurait un mystère. La jeune femme était sur le point d'abandonner le pendentif lorsque, par accident, elle enfonça l'une des pointes de son pouce. D'un seul coup, l'intérieur de la cabine s'illumina. Surprise, Nahid ne put retenir un cri et il s'en fallut de peu que l'étoile ne lui glisse des mains et n'aille se briser sur le plancher.

— Tout va bien ? s'enquit Franck.

Nahid tourna brusquement la tête. Elle s'attendait presque à voir son ami auprès d'elle. Absorbée par ce qui l'entourait, elle avait oublié que le commandant se tenait juste là, en temps réel, au creux de son oreille. Le timbre de la voix du jeune homme

l'avait pour ainsi dire sortie de sa stupeur. Mais avant de lui répondre, elle devait d'abord ranger sa trouvaille. La précieuse étoile n'avait pas traversé l'espace intersidéral pour être finalement perdue. Ouvrant son sac, Nahid la plaça en sûreté avec sa collection de cailloux lunaires.

Comme cela, je saurai que je n'ai pas rêvé, pensa-t-elle.

— Nahid ? Vous m'entendez ?

— Oui, ça va. Je continue mes fouilles. J'y vois beaucoup mieux maintenant.

— D'accord. Et surtout, rappelez-vous : ne touchez à rien.

— Soyez tranquille, mentit Nahid qui n'avait pas envie de se faire sermonner à un moment pareil.

— C'est très étrange, reprit-elle.

— Que voulez-vous dire ?

— Là-bas, tout au fond. On dirait un gros ballon. Je vais aller voir de plus près.

— Faites vite. Je n'arrive pas à communiquer avec MOD. Ce véhicule produit trop d'interférences. Il faut sortir d'ici.

— Laissez-moi encore deux minutes.

— Bon. Mais ensuite nous nous hâterons de remonter.

— À vos ordres.

Nahid abaissa la visière sur le visage décharné de la créature et lui tourna le dos avec regret. Elle aurait souhaité en apprendre plus sur cet être mystérieux. Même abandonnée depuis un millénaire, sa carcasse pouvait en révéler beaucoup sur son espèce et aurait mérité d'être étudiée plus longuement.

Qui sait combien de temps il faudra pour que l'on croise de nouveau ces étrangers ?

Derrière le poste de pilotage, à l'extrémité de la cabine, une étonnante découverte attendait la jeune femme. Là où devait se trouver le sas, une section entière de l'habitacle avait été éventrée. Parmi les débris, un large globe était partiellement enseveli. Un globe sombre, qui avait roulé sous son socle. Nahid s'approcha. Elle devait voir de quoi il s'agissait. De ses mains, elle souleva le globe et le posa sur son socle. Mis à part quelques bosses à sa surface, il n'avait subi que peu de dommages et la jeune femme s'en réjouit. Balayant une partie de l'hémisphère nord du bout de son gant, elle fit pivoter l'obscure sphère sous l'éclat de sa lampe. C'était comme contempler une Terre drapée de ténèbres. Une planète endeuillée qu'aucune étoile n'était parvenue à tirer du néant.

La demeure des crânes noirs. C'est sûrement de ce monde sans lumière qu'ils sont venus.

Immobile, Nahid contemplait les continents qui défilaient devant ses yeux. Des continents aux profils inconnus qu'elle ne pouvait nommer. Peu importe vers lequel se portait son regard, aucun d'entre eux n'esquissait les rivages qui lui étaient si familiers. Regroupés le long des côtes, des points de couleur étaient visibles. Ils semblaient posés stratégiquement, comme s'ils marquaient l'emplacement d'innombrables cités. Mesurant des yeux l'étendue du réseau, Nahid se butait à des symboles incompréhensibles.

Encore ces horribles pattes de mouche, grimaça-t-elle, frustrée de ne pouvoir en deviner le sens.

Il n'y avait rien à faire. Ces noms venus d'ailleurs ne livreraient pas leur secret. C'est alors qu'elle remarqua un détail troublant. Sur la partie supérieure du globe, une croix avait été ajoutée. Une croix, tracée à la main,

semblable à celles qui situent l'emplacement d'un trésor sur une carte. Tout près, épousant la topographie des lieux, un nom se détachait clairement. Un nom que Nahid, contrairement aux autres symboles, pouvait lire sans mal : *Boisset Hennequin.*

Le Boisset ! C'est ce village où habitait le moine, reconnut-elle, stupéfaite.

C'était invraisemblable. Comment ce nom d'une autre époque avait-il pu se retrouver là ? Ce toponyme vétuste, sorti du Moyen Âge, n'était plus utilisé depuis des siècles et sa présence sur la Lune était pour le moins inattendue. Nahid ne parvenait pas à comprendre ce que cela signifiait : elle était le premier être humain à mettre le pied à bord de ce véhicule. Aucun colon n'y avait pénétré avant elle. Le responsable de cette farce n'était donc pas l'un des leurs. L'intrigante inscription avait été gravée bien avant l'arrivée des employés de la SpaceMill. Pourtant, Nahid savait bien que l'existence d'un autre Boisset Hennequin, quelque part au fin fond du cosmos, était inconcevable. Cela défiait l'intelligence, comme on disait chez elle. Il ne restait qu'une seule possibilité. Caché dans les méandres de l'espace-temps,

quelqu'un avait observé la Terre et reproduit l'appellation du village français.

— C'est ça, ou je suis devenue folle !

Soudain, les cloches se mirent à sonner à toute volée. Leur musique résonnait à l'intérieur du crâne de la jeune femme avec une vigueur redoublée. Mais cette fois, ce n'était pas pour les deux astronautes qu'elles s'emballaient. Quelque chose d'autre approchait du tunnel. Quelque chose de rapide.

— Nous devons regagner le module ! trancha le commandant en haussant le ton pour couvrir le bruit.

— Maintenant ?

— Oui. Maintenant ! ordonna la voix dans l'oreillette de Nahid.

Celle-ci serra les poings mais ne rouspéta pas. Franck était son supérieur et elle devait lui obéir. D'accord ou non, il lui fallait abandonner sa trouvaille. Elle devait quitter l'appareil et remonter au plus vite à la surface.

X

Le masque de la garol

Nahid fut la première à émerger de la noirceur du tunnel. Droit devant elle, dans le ciel d'Alembert, le Soleil illuminait l'horizon lunaire. Éblouie par sa lumière, la jeune femme n'arrivait plus à s'orienter. Après un moment, elle distingua des ombres qui avançaient au milieu de la plaine. Des ombres rampantes semblables à celles d'insectes géants. Les convoyeurs de la SpaceMill ! Ils s'étaient mystérieusement remis en marche. Un à un, les lourds appareils abandonnaient leur cargaison de régolite et quittaient le chantier.

— Mais où vont-ils ? se demanda-t-elle à haute voix.

Avant que Franck ne comprenne de quoi elle parlait, Nahid répondit à sa propre question.

— Commandant ! Commandant ! s'écria-t-elle sans se tromper. Le module lunaire ! Il n'y a pas une seconde à perdre. Si nous ne tentons rien, les convoyeurs vont l'aplatir comme une crêpe et nous serons coincés ici.

— Calmez-vous ! Vous devez faire erreur. Ces engins sont des broyeurs de régolite, pas des machines de guerre.

— Reste qu'ils foncent droit sur notre vaisseau, insista Nahid.

— Par tous les diables ! C'est pourtant vrai !

— Vite ! Dépêchons-nous !

— Attendez ! dit Franck. Je crois savoir comment les arrêter.

D'un seul bond, lent et précis, il se dirigea au pied du pic. Rapidement, il ouvrit la trousse de survie et sortit la bombe qui s'y trouvait. Comme il avait pu le constater plus tôt, celle-ci était toujours en état de marche. Sitôt qu'il l'eut rebranchée, il s'empressa de déclencher la minuterie. Plus que deux minutes, et le pic serait soufflé comme un château de cartes, bloquant l'accès au foyer de la contagion et provoquant dans sa chute une tempête de sable lunaire.

— Ne restons pas ici. Suivez-moi !

Derrière eux, les convoyeurs accéléraient. Les astronautes les voyaient approcher et tentaient de se hâter, mais leur course sous les rayons du Soleil mettait à rude épreuve la ventilation de leur combinaison. À mi-chemin, Franck s'arrêta.

— Je… je n'en peux plus. Je suffoque, haleta-t-il.

— Nous y sommes, l'encouragea Nahid. Plus que quelques pas et ça y est.

Le commandant releva la tête. Nahid avait raison. Au bout de la piste, le module les attendait. Ils pouvaient encore s'en tirer.

— Allo MOD ? Ici Melville, murmura-t-il à son micro. Ceci est un code rouge. Laisse-nous entrer. Nous évacuons la colonie.

Dans son oreillette, aucune réponse ne se fit entendre. L'avatar du module demeurait muet.

— Qu'est-ce qu'il fabrique ? grogna Franck pour lui-même. D'ordinaire, on ne peut le faire taire. Tu me reçois, MOD ? C'est ton commandant à l'appareil. Ouvre-nous.

En guise de réponse, au lieu de la voix monocorde de MOD, une explosion fit trembler le sol. Secoué à sa base par la force

de la déflagration, le pic chancela puis s'écrasa en silence. Comme Miro l'avait lui-même anticipé, l'entrée du tunnel disparut sous une avalanche de sable et de gravats. Un nuage de poussière enveloppa le centre du cratère et entrava la marche des convoyeurs. Perdues dans la grisaille lunaire, les lourdes machines cherchaient en vain leur chemin. Les astronautes furent à leur tour plongés dans le brouillard. Même côte à côte, ils avaient peine à se voir tant celui-ci était dense. Nahid essuya sa visière de son gant, sans résultat. Loin de retomber, la poussière stagnait, en suspension autour de la jeune femme.

— Les cloches, remarqua-t-elle. Elles se sont tues. Nous avons réussi !

Franck ne répondit pas. Contrairement à ce que pressentait son amie, la chute du clocher n'avait rien changé pour lui. Il entendait encore les cloches résonner dans sa tête. Exactement comme Jean le Rond, autrefois, après l'incendie de sa chapelle. Il semblait même au commandant que la fréquence du tintement, emprisonné sous son casque, augmentait et que son écho se multipliait. Étourdi, Franck ne parvenait

plus à se concentrer. Il comprenait maintenant ce qui avait empêché Miro de déclencher sa bombe. Cette musique lui avait donné le vertige et le prof avait perdu la tête avant d'avoir pu activer le compte à rebours. Alors, pour retrouver le silence, le pauvre Miro n'avait pas hésité à se donner la mort.

Franck respirait avec difficulté. À chaque inspiration, ses poumons brûlaient. La poussière tourbillonnait dans les phares des convoyeurs et d'étranges formes s'y devinaient. Des formes mouvantes paraissant bondir du sol. Franck avait l'impression d'être à la merci d'une meute de loups prête à le dévorer. Il n'avait qu'une envie : échapper au plus vite à cet enfer.

— Les convoyeurs approchent, souffla-t-il. On dirait que quelque chose les attire vers nous. Ils nous suivent quoi que nous fassions.

Nahid ne souffla mot de l'étoile qu'elle transportait. Elle se doutait bien que celle-ci n'était pas étrangère au réveil inattendu des convoyeurs. Le curieux objet semblait doté de pouvoirs fort singuliers. La jeune femme le sentait vibrer dans son sac et, pour tout dire, cela l'inquiétait un peu. Mais le

Saint Graal lui-même n'aurait pas été plus précieux à ses yeux, et elle ne voulait surtout pas s'en séparer. Et puis, il y avait plus urgent. Franck suffoquait à l'intérieur de son casque. Lorsqu'ils atteignirent enfin le module, le jeune homme ne tenait plus debout. En essayant de le soutenir, Nahid fut saisie d'effroi. Sur les tempes du commandant, un sombre pelage était apparu. Pareil à la toison d'une bête sauvage, il couvrait sa peau de traits repoussants.

Le masque de la garol. Le premier signe d'infection ! Il n'y a pas un instant à perdre, conclut la jeune femme.

— Glissez-vous à l'ombre des panneaux, dit-elle en indiquant la rangée de réflecteurs solaires qui longeait la piste. Cela vous protégera de la chaleur. Je vais tenter d'ouvrir le module manuellement. Avec de la chance, j'y arriverai avant que les convoyeurs ne sortent de la tempête.

Consciente que chaque seconde comptait, Nahid se mit au travail. D'un geste rapide, elle retira le panneau qui donnait accès aux circuits électriques. En inversant leur polarité, elle souhaitait provoquer une tension suffisante pour remettre le réseau interne

en marche. Habile malgré la rigidité de ses gants à double étanchéité, elle y parvint sans trop de difficultés. Une fois le contact rétabli, la porte tourna sur ses gonds.

— Eurêka ! s'exclama Nahid. Il était moins une.

Elle avait réussi à désactiver le verrouillage automatique. Les deux voyageurs allaient enfin pouvoir monter à bord et quitter la Lune. Comme elle s'occupait de refermer le panneau, une main se posa sur son épaule. Franck s'était levé et l'avait rejointe. Mais le pauvre était en si mauvais état qu'il chancelait et s'agrippait au système de survie attaché au dos de sa compagne pour ne pas tomber. Nahid se retourna pour aider son compagnon. C'est alors qu'elle croisa le regard du jeune homme. Le visage de Franck était méconnaissable. De l'écume tombait de sa bouche et formait une affreuse barbe au bas de sa visière. Étranglée par la douleur, sa voix n'était plus qu'un faible râlement.

— Nous ne reverrons jamais la Terre ! geignit-il, les mâchoires serrées. Jamais !

— Je vous en prie ! Taisez-vous. Vous vous fatiguez inutilement. Le courant est

maintenant rétabli. Il nous reste encore une chance de nous en sortir. Venez !

— Tout est si sombre, continua Franck sans bouger. Et ces tours, d'où sortent-elles ? Et là-bas, cette structure de verre ? Vous la voyez ? Mon Dieu ! C'est… c'est énorme ! Je n'ai jamais rien vu de pareil !

Il délire, songea Nahid en reculant d'un pas.

— Ne vous éloignez pas ! insista Franck en la tirant par le bras. Les crânes noirs. Ils sont partout ! Ils ont infiltré notre monde et, bientôt, ce sera votre tour.

— Que voulez-vous dire ?

— Jamais ils ne vous laisseront partir ! Prenez ceci, ou vous finirez les os rongés par la garol ! la somma Franck en exhibant le flacon de Stella-8 qu'il avait subtilisé au prof Miro.

— Lâchez-moi ! protesta la jeune femme, effrayée.

Elle ne reconnaissait plus celui qui la retenait. La maladie avait transformé son fier commandant en un inconnu répugnant. Un inconnu qui menaçait leur survie. Dans un ultime effort pour se dégager, elle le

repoussa violemment. Mais Franck ne lâcha pas prise et entraîna Nahid avec lui à quelques mètres du module. Perdant son équilibre, elle roula dans la poussière en bondissant comme un ballon. Dans sa chute, la genouillère de sa combinaison s'abîma sur une pierre. Nahid voyait un gaz s'en échapper et se volatiliser autour d'elle.

— Malédiction ! gémit-elle en passant un doigt au travers du tissu. Je suis foutue !

À l'intérieur de sa combinaison, la pression commençait déjà à baisser. Nahid n'en avait que pour quelques secondes avant d'être définitivement privée d'oxygène. Affolée, elle tendit la main vers Franck. Mais le malheureux ne pouvait lui porter secours. L'infection dont il souffrait entrait dans sa phase finale et allait bientôt avoir raison de lui. Derrière la silhouette de son compagnon, Nahid apercevait les convoyeurs de la SpaceMill. Leurs trompes d'acier étaient toutes pointées en direction du module et rien ne semblait devoir freiner leur assaut. Un des mastodontes, plus rapide que les autres, s'engageait déjà sur la piste et fonçait droit sur eux.

— Attention !

Franck n'eut pas le temps de réagir. Le nez de l'appareil heurta son dos et le projeta en avant. Soulevé par la force de l'impact, il plana un moment avant de retomber. Comme un météorite en fin de course, sa chute creusa un nouveau cratère dans la poussière. Dévoré par la fièvre, l'astronaute gisait à moitié conscient sur le sol. Il était incapable de se relever. Aspiré par l'action des turbines du convoyeur, son corps glissait sur le sable lunaire.

— Commandant ! s'écria Nahid. Non !

Mais elle ne pouvait plus rien faire pour lui. Franck avait trouvé son trou noir. Les bras tendus dans un dernier salut aux étoiles, il disparut sous l'énorme machinerie pour y être brûlé comme un chargement de régolite.

Chavirée, Nahid n'arrivait pas à détourner son regard du convoyeur. L'aveugle machine avait avalé son compagnon. Tout ce qu'il en restait était un gant déchiqueté tenant un peu de sable gris.

C'est atroce, frémit la jeune femme.

Mais l'heure n'était pas aux sentiments. Elle aussi luttait pour sa survie. La pression de sa combinaison avait atteint un niveau

critique et elle devait faire vite. À bout de souffle, Nahid rejoignit le module. Dans un suprême effort, elle gravit les échelons qui menaient jusqu'à la porte. Une fois en sécurité à bord, elle retira son casque et prit une profonde inspiration. Elle avait cru ne jamais y arriver.

Encore sous le choc, Nahid s'installa au poste de contrôle. Le courant était rétabli et tous les systèmes étaient opérationnels. Elle devait maintenant se rappeler les leçons reçues lors de son entraînement. On lui avait enseigné à prendre les commandes en situation d'urgence et, de toute évidence, c'était le cas.

Toutes ces journées enfermée dans les simulateurs de vol n'auront pas été inutiles, soupira-t-elle à moitié rassurée.

Pour l'instant, les nombreux boutons alignés devant la jeune femme semblaient conçus pour la faire douter de ses capacités. Les larmes qui inondaient ses yeux ne facilitaient pas les choses. C'est à peine si elle voyait ce qu'elle faisait. Tout ce qu'elle savait, c'était que l'ombre des convoyeurs encerclait le module. Sans attendre, Nahid amorça la procédure de décollage. Elle fit sauter le

verrou de sécurité et déclencha le compte à rebours. Si tout se déroulait comme prévu, les rétrofusées s'allumeraient durant quelques secondes, juste le temps qu'il faut pour propulser le module dans l'espace. Nahid croisa les doigts. Fixée à son siège, elle priait le ciel de n'avoir rien oublié.

XI
Le secret du Boisset

Une explosion secoua l'habitacle. L'appareil avait rentré son train d'atterrissage et s'élevait au-dessus du sol. Nahid était sauve. Bientôt, l'engin se placerait en orbite pour aller rejoindre le vaisseau mère qui se mettrait alors en marche et la ramènerait sur Terre dans les plus brefs délais.

Malgré les risques inhérents à sa mission, jamais elle n'avait envisagé que son premier voyage dans l'espace se terminerait sur une note aussi tragique. Une multitude d'images lui revenaient en mémoire : les programmes de conditionnement physique, les longues heures passées au fond de bassins simulant les effets de l'apesanteur, l'excitation du décollage. Au cœur de ces souvenirs, Franck

était présent. Il n'avait cessé de la conseiller, de l'encourager. Forte de son appui, la jeune femme s'était lancée dans l'aventure en acceptant tous les dangers. Maintenant, alors que l'expédition était terminée, elle acceptait la peur. Confinée dans l'étroite capsule telle une dévote dans sa cellule, elle ne pouvait s'empêcher de trembler. Le vide de son âme l'effrayait. En comparaison, celui de l'espace semblait accueillant. Franck avait disparu et elle s'en était tirée. Pourtant, c'était comme si elle était morte avec lui.

— Tout est ma faute, s'accusait-elle à tort. Si je lui avais obéi, rien de tout cela ne serait arrivé.

En retirant sa combinaison, Nahid pleurait comme une enfant. Elle pleurait un ami.

Le module survolait pour une dernière fois la face cachée de la Lune. Son ombre défilait en silence sur les mers de sable, parcourant les vastes étendues tel un projectile perdu dans la nuit. Jamais Nahid ne s'était sentie aussi seule et désemparée. En quête d'un peu de réconfort, elle ouvrit son sac et en sortit le pendentif. Il était lourd et froid, mais toujours aussi énigmatique. La jeune femme ne pouvait s'empêcher de le

contempler. De quelle région du cosmos provenait-il ? Qui l'avait conçu et dans quel but ? Elle aurait tout donné pour le savoir.

— Quelle merveille, souffla-t-elle en le passant à son cou.

Dès que les pointes du bijou entrèrent en contact avec sa peau, une sensation de bien-être s'empara de la jeune femme. Les yeux mi-clos, elle rejeta la tête en arrière et se détendit. Il y avait longtemps qu'elle n'avait pas bénéficié de quelques instants de repos. Soudainement, venues de nulle part, d'étranges visions frappèrent son esprit. C'était comme si ses pensées changeaient de direction et remontaient le cours du temps. Nahid vit un vaisseau traverser le ciel d'une nuit depuis longtemps oubliée. Un vaisseau aux lignes trop pures pour une époque si rude. Elle le vit survoler les hautes tours d'un château et les toits de chaume d'un modeste village. Puis il se mit à perdre de la vitesse et chercha à se poser. Incapable de se redresser, il percuta la chapelle d'un monastère isolé avant d'amerrir et de couler au fond d'une rivière.

Vinrent ensuite les images d'un clocher dévoré par les flammes. Un long ruban de

fumée s'en élevait. Un moine, terrorisé, tentait désespérément d'éteindre le brasier. Derrière lui, des survivants sortaient de l'eau. Ils étaient peu nombreux. Peut-être six ou sept, Nahid n'en était pas certaine. Les images se bousculaient et elle avait du mal à comprendre ce qu'elle voyait. Un détail, pourtant, lui apparut avec clarté : les étrangers avaient à leur cou une étoile identique à celle qu'elle portait. Pareilles aux atours d'un roi, elles se balançaient sur leur poitrine d'acier.

— Un pentacol à huit pointes ! Franck avait raison : le moine n'était pas un hérétique, et encore moins un possédé, conclut-elle.

Les crânes noirs décrits dans la lettre du religieux étaient bel et bien des visiteurs d'un autre monde. Des *estrangiers*, comme on disait à l'époque. La chute de leur vaisseau avait provoqué l'incendie et ravagé la chapelle. Les cloches que le moine entendait au fond de son abbaye n'étaient pas celles du clocher fantôme. Elles provenaient plutôt de l'appareil accidenté. Abandonné par ses occupants, il continuait à émettre des signaux de détresse. Comme les ouvriers de la colonie

lunaire, le moine était hanté, jour et nuit, par ce S.O.S. lancé aux étoiles.

Soudain, un grésillement s'éleva de l'objet et tira Nahid de sa rêverie. On aurait dit que chacune des pointes du pendentif cherchait à syntoniser une fréquence différente.

— Mais que lui arrive-t-il ? fit la jeune femme en le considérant comme s'il était en vie.

Nahid fut alors témoin d'un phénomène étrange. Par le hublot, elle pouvait apercevoir la face cachée de la Lune se voiler d'une ombre. Sa pâle surface virait au noir, comme lors d'une éclipse totale. La capsule fut à son tour rapidement happée par les ténèbres. Au cou de Nahid, l'étoile se faisait plus lourde et ses pointes plus longues. Tendues telles des antennes, elles émettaient un bourdonnement à peine audible. De toute évidence, une onde de provenance inconnue causait de l'interférence. Nahid consulta les instruments de bord pour essayer d'en identifier la source, sans résultat. Les écrans ne signalaient rien d'anormal. Elle scruta le sol qui défilait sous sa nacelle à la recherche d'un indice, mais là encore, n'obtint guère de succès. Jamais elle ne le vit arriver.

XII
Luna

Alors que toute l'attention de Nahid était tournée vers la surface lunaire, un vaisseau la doubla sur sa gauche. Un vaisseau au nez tendu comme une flèche et dont la conception unique défiait toute logique. L'incroyable engin faisait route vers la Lune et poursuivait sa course sans se soucier de la présence de la jeune femme. Il se dirigeait vers un cratère creusé en périphérie d'un large bassin.

— Je rêve ! laissa tomber Nahid, le souffle coupé. D'où sort ce vaisseau ? Et où peut-il bien aller ainsi ?

Suivant la descente de l'appareil, son regard fut attiré par des lueurs provenant du sol. Révélé par la nuit lunaire, un panorama insolite se dessinait sous les yeux de Nahid.

Pareil à un réseau aux nombreuses ramifications, un tracé complexe illuminait le fond du cratère. Incrédule, elle se colla au hublot.

— Mon Dieu ! Ce n'est pas vrai…

Sur la face obscurcie de l'astre mort, les feux d'une cité stupéfiante brûlaient. Les structures d'une ville immense se profilaient entre les collines dénudées et certaines constructions s'étendaient sur des kilomètres. Des cratères entiers étaient, en vérité, des mines plus grandes que toutes celles qui pouvaient exister sur Terre. Garés en retrait, des vaisseaux aux proportions titanesques attendaient l'heure du prochain départ pour les étoiles.

Les crânes noirs… Ils n'ont jamais quitté la Lune ! Réfugiés sur la face cachée, ils continuent à exploiter les ressources lunaires à l'insu de l'humanité.

Construite à l'abri du regard du commun des mortels, leur cité extraordinaire avait pu se développer sans ennui pendant des siècles. Il y avait bien quelques astronautes qui, à leur retour de mission, avaient évoqué l'existence d'étranges complexes érigés sur l'autre face de notre satellite. Certains disaient avoir survolé les ruines de cités

anciennes, d'autres décrivaient l'activité d'appareils sophistiqués, arpentant le sol à la recherche de minerais. Mais aucune sonde n'avait corroboré ces dires qui furent considérés comme des manifestations du délire de l'espace.

— Qui aurait pu imaginer qu'il suffisait de faire un saut sur la Lune pour apprendre que nous ne sommes pas seuls dans l'Univers ? s'étonna la jeune femme.

C'était certes la plus grande découverte de toute l'aventure spatiale. Mais Nahid ne se faisait pas d'illusions. Quoi qu'elle puisse affirmer désormais, l'Alliance s'empresserait de tout démentir. Révéler qu'une présence extraterrestre était implantée si près de notre Terre aurait l'effet d'un électrochoc sur la population. L'information demeurerait secrète.

Mais plusieurs questions restaient en suspens : quelle était l'identité de ces explorateurs ? Que faisaient-ils à proximité de notre planète ? Avaient-ils voyagé à travers la galaxie dans le seul but d'extraire du minerai de notre satellite ? Cela paraissait fort improbable. L'Univers comptait d'innombrables corps célestes identiques à la

Lune. Malgré ce que chantaient les poètes, rien ne la distinguait de tous ces astres morts qui errent dans le vide interstellaire. Alors, pourquoi avoir choisi cette lune entre toutes ? Pourquoi avoir construit une cité entière sur sa face cachée ? Il devait y avoir une explication. Une réponse logique à cette énigme. Malheureusement, Nahid n'arrivait pas à la trouver.

— Si seulement le prof Miro était toujours là, soupira-t-elle. Il aurait élucidé ce mystère en claquant des doigts.

XIII
L'ombre de la Terre

La capsule avait rejoint le vaisseau mère et était sur le point de boucler sa première révolution autour de la Lune. Bientôt, l'éclat de la Terre resplendirait dans l'étroitesse du hublot. Bientôt, les rayons du Soleil révéleraient son arc bleuté, et jamais Nahid n'avait été si impatiente de le contempler. Anxieuse, elle comptait les secondes avant la lumineuse apparition.

Mais une surprise de taille l'attendait. Une surprise astronomique. Lorsqu'elle sortit enfin de l'ombre lunaire, Nahid crut rêver. La Terre qu'elle connaissait avait disparu. À sa place, un monde étrange flottait dans l'espace. Un monde sombre et inhospitalier. Nahid pouvait en observer les côtes rongées

par des mers de feu, les pôles ensevelis sous des tonnes de cendres fumantes.

— Le globe…, comprit-elle en frissonnant. Ce n'était pas celui d'une planète éloignée.

Pareille à une bombe, la vérité venait de lui exploser à la figure. La sombre sphère découverte dans le tunnel C26 ne représentait pas un monde perdu aux confins de l'espace. Ce n'était pas la reproduction d'une planète située à des années-lumière de la nôtre, comme elle l'avait d'abord cru. C'était le visage de notre bonne vieille Terre dans cette dimension inconnue où le pentacol venait de la plonger. La civilisation humaine n'occupait qu'un plan d'un monde beaucoup plus vaste. Elle participait, sans le savoir, à une mécanique aux dimensions cosmiques. Le Boisset était un point de passage. Une porte ouverte entre deux mondes. C'est pourquoi son nom figurait sur le globe. Il indiquait aux pilotes l'endroit où se situait la brèche. La chute du vaisseau était en fait une entrée ratée.

Bouleversée, Nahid retira le talisman étoilé de son cou. Comme par enchantement, la Terre apparut devant elle. Elle paraissait

n'avoir jamais quitté son orbite. À la surface du disque bleu, chacun des continents avait retrouvé la place qu'il occupe dans toutes les banques de données terriennes. Tout était rentré dans l'ordre.

Nahid se laissa tomber sur son siège. Ce curieux objet avait le pouvoir de la faire basculer dans un autre monde. La faculté de lui montrer l'envers de la réalité. Pendant un instant, elle était passée dans une nouvelle dimension et avait pensé ne jamais revoir son pays natal.

— M... MOD ? balbutia-t-elle. Tu m'entends ? Entre en contact avec la Terre et annonce notre retour. La mission est terminée.

Il était trop tôt pour parler d'échec ou de réussite. *L'Histoire en décidera,* pensa Nahid, ébranlée par tout ce qu'elle avait vécu. Pour l'instant, la jeune femme souhaitait simplement entendre une voix humaine. C'était la seule chose susceptible de la réconforter. Mais la confirmation de l'avatar tardait à venir et elle s'impatientait. Le tableau de bord indiquait pourtant que tous les circuits de MOD étaient fonctionnels. Ce long silence ne lui ressemblait pas.

— MOD ?... Tu es là ?

« La Terre ne répond pas, dit enfin la voix du module. Il semble y avoir une défaillance technique. »

— Une défaillance ? Tu en es sûr ?

« Je ne capte aucun signal. »

— C'est impossible. Essaie de nouveau.

« Bien reçu... Seconde tentative amorcée. »

Cherchant à se détendre, Nahid décapsula une ration de lunox liquide. Elle s'était habituée à son petit arrière-goût métallique et ne levait plus le nez sur l'eau lunaire. Il lui était même arrivé d'en vider deux bouteilles coup sur coup. Mais cette fois, elle ne parvenait pas à boire une seule goutte. Sa gorge était trop serrée. C'était comme si elle avait un dépôt de régolite collé au fond de la bouche. Peu importe comment elle s'y prenait, elle ne réussissait pas à s'en débarrasser. Déposant sa boisson, elle remarqua qu'un court duvet avait commencé à pousser sur ses mains.

— La garol ! frémit la jeune femme.

Ce ne pouvait être que cela. Elle avait été infectée. Ces êtres venus d'ailleurs l'avaient contaminée. L'Univers ne tolérait pas de contact entre les mondes. Il cherchait naturellement à éliminer toute intrusion, à empêcher tout croisement susceptible de perturber l'ordre cosmique. L'étrange mutation que Nahid avait observée chez Franck était maintenant à l'œuvre dans sa propre chair. Bientôt, il n'y aurait plus de place pour elle dans notre monde. Elle était condamnée à devenir un crâne noir ou à mourir. La jeune femme n'avait que très peu de temps devant elle.

Ravagée, Nahid fixait la Terre, toute proche. Elle aurait tant voulu pouvoir y marcher une dernière fois. Pourtant, dans son état, la jeune femme devait y renoncer. C'était devenu un rêve impossible. Son retour à la maison, elle le savait, représentait un danger trop grand pour l'humanité. Avec elle, la garol ferait son entrée dans l'atmosphère terrestre et se propagerait dans la population, provoquant une pandémie aussi grave que celle due à la présence d'étrangers au Boisset. La garol, ou peste noire, avait alors emporté des millions de personnes aux quatre coins de l'Europe. Nahid souhaitait plus que tout rentrer chez elle, mais sachant que son arrivée y déclencherait une hécatombe, elle préférait y renoncer.

— Il vaut mieux m'éjecter tout de suite et aller me perdre dans le vide de l'espace, décida-t-elle froidement. De cette façon, la menace sera écartée pour de bon.

« Échec de la transmission, annonça MOD. Aucun signal en provenance de la Terre n'a pu être détecté. »

— Cela n'a plus d'importance, laissa tomber Nahid. Il est trop tard désormais.

« Mes senseurs indiquent que quelque chose à l'intérieur du module brouille la communication. »

— À l'intérieur ? Qu'est-ce que... ?

Le pentacol, bien sûr ! Pourquoi n'y avait-elle pas pensé ? Nahid avait peut-être encore une chance. Une ultime chance de changer le cours des choses. Déterminée, la jeune femme reprit le pendentif étoilé. Il était son dernier espoir. Grâce à lui, elle survivrait peut-être à ce cauchemar.

XIV
Le chant de la nuit

Nahid décida d'agir sitôt initiée la manœuvre d'approche. Elle avait choisi ce moment pour une raison toute simple : cela lui laissait le loisir d'admirer la Terre jusqu'à la fin. Jusqu'à la rupture. Dans la nuit qui l'attendait, la planète bleue aurait un tout autre visage et elle, un tout autre destin.

Une fois les instruments réglés, elle passa le pentacol à son cou pour une dernière fois. Par le hublot, elle vit la Terre s'effacer, faisant place à son obscure jumelle. À cette distance, son globe terrifiant semblait occuper tout l'espace. La jeune femme ne le quittait pas du regard. Elle savait que pour ne pas perdre la vie, elle devait en changer, et ce monde effrayant était sa nouvelle destination. Si

tout se déroulait comme prévu, dans quelques heures, elle joindrait les rangs des crânes noirs. Sous l'effet de la garol, le cœur de Nahid se tournerait vers les ténèbres et l'écho de notre monde le déserterait pour toujours. La musique de la pluie et tout le reste, évaporés comme un songe.

— *Je me demande si les oiseaux chantent dans ce monde sordide*, pensa-t-elle avec appréhension.

Malgré ses craintes, la jeune femme ne fléchissait pas. Son choix était fait. Il n'y avait pas, à ses yeux, d'autres avenues possibles. Par son geste, la contamination de notre Terre serait évitée. La garol ne pourrait s'y répandre et la race humaine serait sauvée. C'était tout ce qui comptait.

Mais l'action de la maladie sur son métabolisme l'affaiblissait de plus en plus. Elle se sentait confuse et devait lutter pour demeurer consciente. Déjà, des airs inconnus tournaient dans sa tête. Des mélodies nouvelles dont le souffle lourd effaçait à jamais les rythmes anciens et familiers qu'avait connus Nahid. Lugubres et mystérieux, ces sons rappelaient la psalmodie de moines implorant le ciel de les pardonner. Alors que

la capsule approchait de la planète, le chant se faisait plus insistant. Fiévreuses, les lèvres de Nahid en murmuraient les obscures paroles. Là où elle se rendait, tout le monde les connaissait. C'était une prière que les crânes noirs apprenaient dès l'enfance. Une incantation destinée à leur enseigner courage et ténacité dans les ténèbres. Cette prière, la jeune femme la récitait maintenant de toute son âme. Elle s'y accrochait avec ce qui lui restait de forces tandis qu'à son cou, le pentacol vibrait en cadence avec la singulière mélopée.

Comme la capsule pénétrait dans la stratosphère, une voix nasillarde se mêla au chœur ténébreux. Une voix lente et mécanique qui rappelait celle de MOD s'il avait eu la mauvaise idée de respirer de l'hélium. Sur un ton aigu, elle s'exprimait dans un dialecte qui ne ressemblait à rien de ce que Nahid connaissait. Pourtant, elle en devinait le message. N'importe quel employé de l'Alliance l'aurait affirmé sans hésiter : il s'agissait des consignes d'une tour de contrôle à un pilote. Cette voix survoltée devait être occupée à lui débiter une liste d'informations techniques sur la position et la vélocité de son appareil, la température extérieure ou la direction des vents. Incompréhensible ou pas, cette avalanche de données ne rebutait pas Nahid. Au contraire, c'était pure musique à ses oreilles.

— Ça a fonctionné, se réjouit-elle avec la même émotion que si elle rentrait vraiment sur Terre. L'humanité n'a plus rien à craindre. Du moins, pour cette fois.

Nahid respirait mieux. Son passage dans l'autre monde s'était fait en douceur. Sa mue serait bientôt complétée et son corps totalement adapté à sa nouvelle réalité. En se posant aux abords du Boisset, quelques pas lui suffiraient pour oublier sa vie passée. Quelques pas pour découvrir une vérité jusque-là insoupçonnée : comme la Lune dans le ciel, la Terre avait elle aussi sa face cachée.

Traduction de la lettre de Jean le Rond

Aujourd'hui, vingt-six avril
de l'an treize cent treize

Moi, Jean de Gaillon, dit Jean le Rond, petit-fils du chevalier Odet Havart, maître du hameau du Boisset Hennequin, demande par cette lettre que l'on m'accorde audience. L'affaire est urgente et exige qu'on y remédie sans tarder.

Comme vos gens vous l'ont rapporté, la chapelle Saint-Vincent a été incendiée le jour de la Fête-Dieu. Nul doute que cette mésaventure est la faute de brigands s'activant en ce siècle à éclipser le royaume de Notre Seigneur. Seul le coq perché sur la pointe du clocher échappa aux flammes. La fumée a noirci son plumage, mais sa

silhouette tourne encore où souffle le vent. Ce qui reste des murs sera détruit, sitôt que l'autorisation signée de votre main me sera livrée. D'ici là, espérons que nos prières soient entendues et que les scélérats connaissent leur châtiment.

(...) Après avoir fini mon repas, je pris mon bâton de pèlerin et traversai le Boisset. Devant moi apparurent les ruines du clocher. La nuit tombait et je dus faire preuve d'un grand courage pour ne pas fuir jusqu'à l'abbaye. Encore une fois, j'entendis les cloches sonner. Il y a des choses dont les moines ont l'intuition et, grâce à Dieu, je crus pouvoir résoudre cette énigme. Je me dirigeai vers la chapelle, résolu à chasser le faux dévot qui s'y cachait. Une odeur de poudre flottait dans l'air et je me signai pour chasser les démons. Mais sous la lueur de la lune, un étonnant spectacle troubla mon esprit. À l'ombre des murets, une meute de loups se dressaient pour marcher comme des hommes. J'assistais à une magie de l'enfer. Une sorcellerie venue droit des entrailles du monde. Les plus vilaines créatures portaient armures au corps et sur la tête, des chapeaux de fer noir comme des

casseroles. Accroché à leur cou, je reconnus le signe de la Bête. L'Étoile du Malin se balançant sur leur poitrine tel un pendentif à huit pointes. Troublé, je déguerpis comme si j'étais pourchassé. Les loups étaient sur mes talons. Une morsure me ferait pareil à eux. Un fils du diable, un crâne noir rongé par la peste. Persuadé que la mort était à mes trousses, je me sauvai et ne m'arrêtai qu'au lever du jour.

(…) Méfiez-vous de la rumeur: le jour de la résurrection du fils de Dieu, les crânes noirs n'ont pas fui là où le ciel et la Terre se touchent. À la pleine lune, autour du Boisset, ils errent toujours.

Lexique

arrifler : incendier
assent : parfum
boulgre : hérétique
bourdon : bâton de pèlerin
cagot : faux dévot
carnade : la mort
casseron : casserole
colpe : faute
cordelle : énigme
courre-chasse : chasse à courre
courlieu : courrier
curation : remède
destourber : troubler, déranger
devers : devant
devinance : divination
embrochier : se cacher
entour : alentour
fablerie : mensonge
frapier : fuir
fredain : scélérat
grevance : châtiment
guerpir : déguerpir, s'enfuir
hores : heures
hui : aujourd'hui
issir : sortir

malaventure : malchance
mander : demander
mécroire : ne pas croire, soupçonner
nigromance : magie
odir : entendre
pentacol : pendentif
piétoner : marcher
poldre : poudre
repaissance : repas
sorcerie : sorcellerie
triboulé : troublé
ventrailles : entrailles

TABLE DES CHAPITRES

Gaëtan Picard

Graphiste de formation, Gaëtan Picard œuvre dans le monde de la publicité depuis de nombreuses années. Tour à tour illustrateur, concepteur et rédacteur, il a touché à tous les aspects de la communication. Très jeune, il est tenté par l'aventure littéraire et publie aux Éditions Pierre Tisseyre une série fantastique intitulée *Azura le Double Pays.* Il est également l'auteur d'un roman d'horreur et d'épouvante intitulé *Le piège*, finaliste au Prix jeunesse des univers parallèles 2008. Avec *Le crâne de la face cachée*, il nous offre maintenant un merveilleux suspens cosmique plein de rebondissements !

COLLECTION CHACAL

1. *Doubles jeux*
   Pierre Boileau (1997)
2. *L'œuf des dieux*
   Christian Martin (1997)
3. *L'ombre du sorcier*
   Frédérick Durand (1997)
4. *La fugue d'Antoine*
   Danielle Rochette (1997)
   (finaliste au Prix du Gouverneur général 1998)
5. *Le voyage insolite*
   Frédérick Durand (1998)
6. *Les ailes de lumière*
   Jean-François Somain (1998)
7. *Le jardin des ténèbres*
   Margaret Buffie, traduit de l'anglais par Martine Gagnon (1998)
8. *La maudite*
   Daniel Mativat (1999)
9. *Demain, les étoiles*
   Jean-Louis Trudel (2000)
10. *L'Arbre-Roi*
    Gaëtan Picard (2000)
11. *Non-retour*
    Laurent Chabin (2000)
12. *Futurs sur mesure*
    collectif de l'AEQJ (2000)
13. *Quand la bête s'éveille*
    Daniel Mativat (2001)
14. *Les messagers d'Okeanos*
    Gilles Devindilis (2001)
15. *Baha-Mar et les miroirs magiques*
    Gaëtan Picard (2001)
16. *Un don mortel*
    André Lebugle (2001)
17. Storine, l'orpheline des étoiles, volume 1 : *Le lion blanc*
    Fredrick D'Anterny (2002)
18. *L'odeur du diable*
    Isabel Brochu (2002)
19. *Sur la piste des Mayas*
    Gilles Devindilis (2002)
20. *Le chien du docteur Chenevert*
    Diane Bergeron (2003)

21. *Le Temple de la Nuit*
Gaëtan Picard (2003)

22. *Le château des morts*
André Lebugle (2003)

23. Storine, l'orpheline
des étoiles, volume 2 :
Les marécages de l'âme
Fredrick D'Anterny (2003)

24. *Les démons de Rapa Nui*
Gilles Devindilis (2003)

25. Storine, l'orpheline
des étoiles, volume 3 :
Le maître des frayeurs
Fredrick D'Anterny (2004)

26. *Clone à risque*
Diane Bergeron (2004)

27. *Mission en Ouzbékistan*
Gilles Devindilis (2004)

28. *Le secret sous ma peau*
de Janet McNaughton,
traduit de l'anglais
par Jocelyne Doray (2004)

29. Storine, l'orpheline
des étoiles, volume 4 :
Les naufragés d'Illophène
Fredrick D'Anterny (2004)

30. *La Tour Sans Ombre*
Gaëtan Picard (2005)

31. *Le sanctuaire des Immondes*
Gilles Devindilis (2005)

32. *L'éclair jaune*
Louis Laforce (2005)

33. Storine, l'orpheline
des étoiles, Volume 5 :
La planète du savoir
Fredrick D'Anterny (2005)

34. Storine, l'orpheline
des étoiles, Volume 6 :
Le triangle d'Ébraïs
Fredrick D'Anterny (2005)

35. *Les tueuses de Chiran,*
Tome 1, S.D. Tower,
traduction de Laurent
Chabin (2005)

36. *Anthrax Connexion*
Diane Bergeron (2006)

37. *Les tueuses de Chiran,*
Tome 2, S.D. Tower,
traduction de Laurent
Chabin (2006)

38. Storine, l'orpheline
des étoiles, Volume 7 :
Le secret des prophètes
Fredrick D'Anterny (2006)

39. Storine, l'orpheline
des étoiles, Volume 8 :
Le procès des dieux
Fredrick D'Anterny (2006)

40. *La main du diable*
Daniel Mativat (2006)

41. *Rendez-vous à Blackforge*
Gilles Devindilis (2007)

42. Storine, l'orpheline des étoiles, Volume 9 : *Le fléau de Vinor*
Fredrick D'Anterny (2007)

43. *Le trésor des Templiers*
Louis Laforce (2006)

44. *Le retour de l'épervier noir*
Lucien Couture (2007)

45. *Le piège*
Gaëtan Picard (2007)

46. *Séléna et la rencontre des deux mondes*
Denis Doucet (2008)

47. *Les Zuniques*
Louis Laforce (2008)

48. *Séti, le livre des dieux*
Daniel Mativat (2007)

49. *Séti, le rêve d'Alexandre*
Daniel Mativat (2008)

50. *Séti, la malédiction du gladiateur*
Daniel Mativat (2008)

51. *Séti, l'anneau des géants*
Daniel Mativat (2008)

52. *Séti, le temps des loups*
Daniel Mativat (2009)

53. *Séti, la guerre des dames*
Daniel Mativat (2010)

54. *Les Marlots – La découverte*
Sam Milot

55. *Le crâne de la face cachée*
Gaëtan Picard (2010)

Ce livre a été imprimé
sur du papier enviro 100 % recyclé.

Empreinte écologique réduite de :
Arbres : 3
Déchets solides : 89 kg
Eau : 8 413 L
Émissions atmosphériques : 195 kg

Ensemble, tournons la page sur le gaspillage.